井上見淳

真宗悪人伝

法藏館

はじめに

とかく世間では、「善人」とか「悪人」とかいう言葉を用いて、しばしば人を評します。しかし考えてみれば、本当は悪ばかりやってきた人間というのはいませんし、善ばかりやってきた人間というのもいません。

私が得意げにおこなった善行が、となりの人にとってはありがた迷惑の悪行だった、なんてことは誰もが経験する人生のペーソス……。法律をやぶって警察に捕まれば悪人と言われるかもしれませんが、捕まらなければ善人かというと、そんなこともありません。昨日まで善人だと思われていた人が、実は悪人だったといった報道も、日々のテレビやインターネットを賑わせる、もはやありふれた内容といえましょう。しかしながら、たとえばある事件の被告人が、誰かを護るために、どうしても法律の枠を破って行動するしか道がなかったといった苦しい状況が明らかになった時、その人がはたして本当に善人なのか悪人なのか、いったい誰が、どういう基準で決めることができるでしょう。

仏教という枠組みからいえば、「業（ごう）（おこない）」とは身（しん）・口（く）・意（い）の三業（さんごう）、つまり身体で行うこと、口で言うこと、心で思うこと、すべて業（おこない）と見ていきます。その三業をもって仏さまの指定したルールの中で生きる戒律の生活を送り、もし罪を犯せば懺悔して滅罪につとめます。そして高次の行に挑んでは智慧（物事の本質を見抜くはたらき）を獲得してゆき、それによって慈悲（痛みの共感）の向かう範囲を広げ、どんな苦悩を抱える者にも歩み寄り、ふさわしい法を与えていく。こういう生き方を目指し、実践する人たちのことを仏教では「善人」といいます。しかしながら興味深いことに、親鸞聖人が尊敬された善導大師は、この生き方は突き詰めるほど、実は毛穴から血が噴き出し、血の涙を流すような強烈な「悪人」の自覚を深めることになる（『往生礼讃』）とおっしゃったのでした。

一方で、こうした仏さまの定めた戒律の枠からはみ出しながらしか生きていけない者、まして三業不一致にしか生きていけない大多数の者はみな「悪人」ということになってくるのでしょうが、これもはたしてそう単純に割り切れるものかどうか。ここに、実はとても大切な視点があります。

その点、親鸞聖人がこうした凡夫による善や悪の判断の難しさについて、「善悪のふたつ、総じてもつて存知せざるなり」（『歎異抄』、『註釈版』八五三頁）とずばり言い切られ、「火宅無常の世界は、よろづのこと、みなもつてそらごとたはごと、まことあることなきに、ただ念仏のみぞまことにておはします」（『註釈版』八五四頁）と述べられた言葉は、改めて深い味わいをもって、胸に響いてきます。すなわち、私たちが自分中心にそれぞれ捉えたものに何一つ真実と呼べるものはない。そんな中でたよりとすべき真実は、愛憎を超えた彼方から私の人生に届いた念仏のみだと言われているのです。

さて、本書で取り上げた人物は、浄土真宗の歴史を語る上で欠くべからざる重要な人物ばかりです。そしてこれらの人物に通底しているキーワードは、広い意味で「悪人」という言葉でありましょう。

たとえば、時の権力者の弾圧によって「流罪」と断罪され、また自らは阿弥陀如来と共に世俗の中に生き、善をひとつもなし得ない「無戒名字の比丘」としての生き方を追求していかれた、浄土真宗の宗祖「善信房親鸞」。源平合戦において戦功をあげる中で、無数の殺りくを繰り返してきた「熊谷直実」。その土地を仕切る修験者として怒りにまかせ、新参者・親鸞の殺害を企てた「弁円」。父・親鸞聖人がいのちをかけて説いてきた教えをいきおい歪めてしまい、多くの人を混乱させ義絶となった「慈信房善鸞」。親鸞聖人の廟堂を建設するために所有地を門弟へ提供した父や母（覚信尼）の思いもよそに、廟堂を占拠し、最後は破壊して逃走した「唯善」。蓮如上人の深い信頼を得ながらも、それを逆手に策を弄して、上人を裏切り破門にされた「蓮崇」。時の権力者たちとの覇権争いにおいて、結果的に無数の門徒を戦場に駆り出して十数年におよぶ合戦を行い、さらに父子の対立から本願寺教団の分裂をも招いた「顕如と教如」。西本願寺の教学上の最高責任者・能化でありながら、浄土真宗最大の法義論争を巻き起こし「異安心」と認定された「智洞」。東本願寺において「異安心」と認定され大学を追われた「金子大榮」。

この人物たちはいずれも当時、いろんな立場の人から、ある意味で「悪人」と位置づけられた、あるいはそれを自認した方々だといえます。しかしながら、その当人に近づき、できるだけその目線に合わせて眺めてみた時、はじめて見えてくる別の物語がそこにあります。無関心の高みの見物人には見えてこない、当事者だけが抱えた苦悩や悲しみの物語が。

本書は、そうした視点から見えてくる物語に注目しながら、わかりやすく重要人物たちの評伝をまとめてみたい。そんな思いから始まったものです。ですから従来の教科書的な書きぶりとは違う部分に違和感を覚えられる所もあるでしょう。でも、だからこそ読者に届く部分もあるのではないかと思っています。本書を、浄土真宗を学ぶ上での入り口的な一冊として、皆様の書架の片隅に加えていただければと念じております。

なお最後になりましたが、本書は『季刊せいてん』（本願寺出版社）に二〇一五年秋号（№.

112）～二〇二〇年夏号（No.131）まで連載した「真宗〈悪人〉伝」をもとに加筆修正したものです。編集部として、この印象的なタイトルはもちろん、企画を立案し、私に声をかけてくださったのは西義人氏、八橋大輔氏でした。彼らは龍谷大学大学院時代から多くの時間を共に過ごした長年の知己です。編集部として細かく原稿をチェックしつつも、彼らだからこそ上手に私をやる気にさせ、時に資料がなくてわからない部分は、いい意味で遊ばせてもらいながら、なんとか足かけ六年の連載を完走させていただきました。改めてここに深く感謝の意を表したいと思います。またこの二人と共に、編集部でご苦労くださった隅倉浩信氏、芝原弘記氏にも甚深の謝意を表します。そして本書の出版にあたり、色々とお世話をしてくださった法藏館の満田みすず氏、また校正の労をとってくださった東光直也氏、深見慧隆氏にもここに深く御礼申し上げます。

二〇二一年八月

井上見淳

【凡　例】

一、本文は原則として新字、現代仮名遣いで統一したが、固有名詞や引用文について、一部、旧字・異体字を使用した。

二、聖教の引用や訓読は、原則として『浄土真宗聖典　註釈版』第二版・『浄土真宗聖典　七祖篇註釈版』によった。

三、聖教を引用した後に『浄土真宗聖典　註釈版』第二版・『浄土真宗聖典　七祖篇註釈版』の頁数、または『浄土真宗聖典全書』の巻数・頁数を記した。その際、次の略称を用いた。

『浄土真宗聖典　註釈版』第二版　………『註釈版』
『浄土真宗聖典　七祖篇註釈版』…………『七祖篇註釈版』
『浄土真宗聖典全書』………………………『聖典全書』

四、本文の中で、章末のコラムに対応する箇所に、＊印を付した。

五、主な経典や典籍の名称は、適宜、以下の略称にて表記した。

『仏説無量寿経』→『無量寿経』『双巻経』、『仏説観無量寿経』→『観無量寿経』『観経』、『仏説阿弥陀経』→『阿弥陀経』、『妙法蓮華経』→『法華経』、『大方広仏華厳経』→『華厳経』、『無量寿経優婆提舎願生偈』→『浄土論』、『無量寿経優婆提舎願生偈註』→『往生論註』、『転経行道願往生浄土法事讃巻上』『転経行道願往生浄土法事讃巻下』→『法事讃』、『選択本願念仏集』→『選択集』、『顕浄土真実教行証文類』→『教行信証』、「正信念仏偈」→「正信偈」、『親鸞聖人伝絵』→『親鸞伝絵』、『拾遺古徳伝絵詞』→『拾遺古徳伝』、『親鸞聖人門侶交名帳』→『交名帳』

六、本書執筆に際して、主に参考にした文献や引用した資料（収録の全集等）については、巻末に一括掲載した。

真宗悪人伝 ＊ 目次

善信房親鸞

唯善

1 衝撃の決断　119

2 激突の代償　130

下間蓮崇

顕如と教如

智洞

金子大榮

真宗悪人伝

善信房親鸞

■善信房親鸞とは

言わずと知れた浄土真宗の宗祖、親鸞聖人です。実は雑誌の連載では最終シリーズとなったものですが、当初、編集部からこのお方のシリーズを提案された時は驚き、相当に逡巡したものでした。しかしながらよくよく考えてみれば、このお方ほど自己にひそむ罪悪性から目をそらさず、自分は常識の仏道では到底救われない「悪人」だと自覚されたお方は、他にいないかもしれません。それはまた同時に、自己の実相（真実のすがた）を顕わにした阿弥陀如来のぬくもりを、念仏の中に味わい続けたおすがたでもありました。

法然聖人に出遇われて以降、肉食妻帯して生きていかれた親鸞聖人の生涯は、仏教本来の枠組みからいえば「破戒僧」といわれる歩みだったかもしれません。現に法然聖人の浄土宗は既成仏教側からは激しく批判されましたし、結果的に時の権力者によって還俗させられ、法然聖人・親鸞聖人ともに「流罪」と断罪されています。しかし、このお方はむしろ自らを「無戒名字の比丘（戒律が有名無実化した時代の名ばかりの僧侶）」と位置づけ、世俗の中に身を置いて生きる道を選び、その中で仏教が本来もたらす救い「生死出づべき道」とは何かを追求していかれました。そうして自己や民衆の苦悩を見つめながら、阿弥陀如来と共にこのお方が歩んでいかれたその跡が、まさに後に続く多くの人が救われていく道となっていったのです。

自分のことをあまり語らなかったこのお方の生涯の中で、ブラックボックス化していた部分を明らかにしたキーパーソンは、親鸞聖人の妻、恵信尼さまでした。おそらくこのような生涯であったと思っています。

1　闇から光へ

娘の思い、母の思い

弘長二年十二月二十日過ぎ。年の瀬を迎えた越後（現・新潟県）では、折からの不作で年越しの用意もままならないなか、ここ数日は肌を切り裂くような風が吹き続けています。おとな達は、よけいに口を重たくしましたが、子ども達の楽しそうに遊ぶ声が、かろうじて場を和らげていました。

その地で、八十一歳の老境を迎えていた恵信尼さま。彼女のもとへよく知る人が手紙を置いていきました。差出人は京の地にいる末子の覚信尼さまでした。この時点で内容は確信しましたが、果たして、そこには十一月二十八日（一二六三年一月十六日）に、夫である親鸞聖人がご往生*されたとの旨が記してありました。

「ああ、あのお方がついに……」

すでに危篤の報は受けていましたので、心の準備はできているつもりでした。しかし実際の訃報となると、それはいかんともしがたい喪失感をもたらし、彼女はしばらく座したまま動けませんでした。長年、喜びも苦労も共にして、語り尽くせぬ日々を過ごした夫を思うと胸がいっぱいになり、自然と浄土を思って念仏するばかりでした。

ところで、この手紙の最後で覚信尼さまは、「父上は本当に往生したのでしょうか」と「不安」を打ち明けていました。どうやら聖人の臨終のご様子が想像していたものと違っていたことから起こったもののようです。

恵信尼さまは手紙を読み終えると、改めて一生懸命に身を尽くして父を看取った娘の労を感じ取り、涙をこぼしました。そして母として娘の抱いた思いをじっくりと受け止め、「今のうちにあの子に、どうしてもあのお方のお姿を伝えておかなければならない」と決心したのです。

恵信尼さまは文机の上へ、古びた日記を何冊も運び出されました。そして、なかの一冊を手に取り、丁寧にホコリを払って繙くと、じっと文面を見つめながら、およそ六十年も前の日々を追憶され始めたのでした。そう、親鸞聖人と出遇ったあの頃です。

深い闇のなかで

比叡山延暦寺。延暦四（七八五）年に、かの伝教大師最澄が草庵を結んだことに起源する日本仏教最大の聖地の一つです。滋賀と京都の境にまたがる東山連峰の北端に位置するこの山内の、広大な境内地に点在する百ほどの堂舎を「延暦寺」と総称します。

全国から優秀な頭脳が集結し、東塔・西塔・横川のいわゆる「叡山三塔」は、それぞれ時代を代表する高僧を綺羅星の如く輩出し、日本仏教界をリードしてきました。その比叡山で、建仁元（一二〇一）年、二十九歳の範宴（後の親鸞聖人）は闇の中にいました。

養和元（一一八一）年に、三条白川の慈鎮（慈円）和尚の房舎にて九歳で得度して以来、比叡山での修行も、はや二十年に及んでいます。なかでも範宴の属した横川の地は、源信和尚ゆかりの土地です。源信和尚といえば名利を嫌ってこの地に遁世し、以後の浄土教における「本典」ともいうべき巨大な存在感を放った『往生要集』を著された方です。「この地で堂僧として生きる以上、断じてごまかしは許されない」。範宴の背中を「横川」の地が押し続けてくれました。当時の比叡山は、ずいぶんと俗化し堕落した一面もありましたが、そうした環境が、生来もっていた彼の厳格な気性をかえって剝きだしにしました。

仏道修行の目的とは、『観無量寿経』に「仏心とは大慈悲これなり。無縁の慈をもつてもろもろの衆生を摂したまふ」（『註釈版』一〇二頁）とあるように、無縁の万人に対し、智慧をもって自他一如、万物一如と直観する視野を開いて痛みを共感し、慈悲をもってしあわせを恵み与える生き方を実現していくところにあります。端的にいえば、目の前で苦しむ「どんな人」にも、その救済のためには、いつでもみずからの全存在を挙げて立ち向かうということでした。

そのために、これまで範宴がどれほど厳しい行に懸命に挑み続けてきたことか。しかしながら彼は思うのです。「それでどんな福徳が身についたというのか」「どのように努力を重ねても体力の限界が迫ればいつも鮮明になるのは、煩悩にかき乱された己の心ではないか」「他者ではなく自分を優先する、およそ仏心とはほど遠いあさましさではないか」「この道をさらに進んでいくべきなのか」「それとも、釈迦如来の説かれた八万四千の成仏道には、私のような者に説きおかれた別の道も存在するのか」。

——いまや範宴は、壮絶な苦悩の渦に身を置き、もがき苦しんでいたのでした。*

法然房源空という鬼才

　ちょうどその頃、比叡山は一人の僧侶の話題でもちきりでした。何でもその男はかつて比叡山に属し、二十歳を越える頃には「智慧第一（ちえだいいち）」と称賛され、将来を嘱望（しょくぼう）された逸材でした。しかしながら、突如、彼は山を下りてしまい、今はおよそ仏教に縁のない庶民に向き合って「念仏ひとつで浄土へ生まれる教え」を説いているといいます。名を法然房源空（ほうねんぼうげんくう）といいました。

　ところでこの僧、何が話題を集めているのかというと、とにかく規格外の豪胆（ごうたん）な逸話を数多く残しているのです。

　一見、ゆったりとした体軀（たいく）に柔和（にゅうわ）な顔をしているのですが、膨大な経（きょう）・論（ろん）・釈（しゃく）の複雑な教理を、凄まじく切れ味の鋭いその頭脳で快刀乱麻（かいとうらんま）を断つがごとく鮮やかに分析し、一つ一つの典籍に対して、あたかも文字列の奥に潜む執筆者の問題意識の深層にまで到達するかのような読み方をしているといいます。

　また京都大原（おおはら）では天台座主（てんだいざす）をつとめた顕真（けんしん）および三十余人（一説には三百人）を向こうにま

わして対論し、堂々たる論陣を展開して一歩も譲らなかったとか。八世紀の聖武天皇の「大仏造立の詔」に始まる、日本仏教の中心として由緒ある東大寺において、諸宗に付随した位置づけしか持たなかった浄土の教えを「自分が仏道の一宗として独立させる」と堂々と宣言して参集の僧侶を驚愕させたとか。何の位も持たないのに、前の関白九条兼実公と昵懇で何度も宮中に出向いているとか。とにかく、この人物を讃える者は「阿弥陀如来」や「勢至菩薩」の生まれかわりだと口を極めて称賛します。

しかし一方で批難する者は「邪説」を広める「悪魔」だと言いました。それは、出家してこそ悟りに至り得るのであり、社会の中心は男性であり、多くの布施を行う者こそよりよい来世が約束される。そうした考えが常識だった時代に、法然は誰はばかることなく、「阿弥陀如来の力によって往生するのだから、往生するのに在家も出家も、男女も貧富も関係はありません。ただ阿弥陀如来が本願に選んでくださった念仏こそが肝要なのであり、他の行は如来が選び捨てた行であるから、一切必要はありません」などと説き広めていたからです。

これは大方の者にとって、伝統的に仏教が培ってきた枠組みの破壊、出家僧の足場を無みする言説にしか聞こえませんでした。故に比叡山でも法然のことをおもしろがってしばしば話題にはしましたが、その実、大半の僧が「法然とは仏道を思い違えた訳の分からぬ落伍者だ」と嘲笑していたのでした。

しかし範宴にとって、その法然の言説にはどこか真実に触れている感触がありました。やがて彼の中にくすぶっていた思い、すなわち「別の成仏道があるのではないか」という思いは、「法然という方の説く教えこそ、それではないのか」という確信めいたものへと育っていき、深い闇の向こうにぼんやりとしたかすかな光をもたらし始めたのでした。

六角堂へ

「法然という方のもとへ出向くべきかどうか」「二十年間のすべてを捨て去ることになっても転向すべきなのか」、範宴はふくれあがったこうした葛藤の結論を、尊崇してやまない聖徳太子に委ねることを決意しました。

七世紀。この日本の地に初めて仏法を本格的に開示し、しかのみならず、それによる統治まで志した人物、それが聖徳太子です。経典の註釈や、四天王寺・法隆寺などに代表される多くの寺院を建立したと伝えられ、日本仏教の祖ともいうべき存在感から「和国の教主」（日本の釈尊）として古くから厚く信奉されてきました。いつしかその超人的な偉業の数々は、太子を観世音（観音）菩薩の「生まれかわり」だとする信仰を生みだし、人々にも広く受け入れられていました。

さて洛中にその太子の創建と伝えられ、堂舎の形状から通称「六角堂」と呼ばれた寺院（正式名、頂法寺）がありました。範宴の当時、この六角堂は、堂舎に籠って眠り、夢のなかで本尊の観音菩薩（聖徳太子）から人生の指南を得ようという人で賑わいをみせていました。これは当時行われた「参籠」と呼ばれる宗教儀礼でした。この当時、夢とは聖なる領域に通じるトンネルのように広く認識されており、同じく観音菩薩を安置した清水寺や石山寺などと共に、霊験あらたかな参籠寺院として六角堂は特に人気を集めていたのでした。

さて範宴も、いま六角堂の前に立っていました。それは聖徳太子という日本仏教の原点に立ち返り、今一度行くべき方向を「夢告」によって確認してみようと思い立ったが故でした。通常、一週間程度をめどに行われる参籠を、範宴は百日おこなうと決心しました。それはなんとしても葛藤に決断をくだすという決意の表れでした。

懸命な参籠の日々が続きましたが、最終盤の九十五日目の暁。遂にその時が来ました。夢の中に忽然と僧形の観音菩薩（聖徳太子）がお現れになり、お告げを与えたのです。それはおそらくこの言葉であったろうといわれています。

行者宿報設女犯
我成玉女身被犯
一生之間能荘厳
臨終引導生極楽（『註釈版』一〇四四頁）

（行者、宿報にてたとひ女犯すとも、
われ玉女の身となりて犯せられん。
一生のあひだ、よく荘厳して、
臨終に引導して極楽に生ぜしめん）*

すなわち観音菩薩が「行者よ、そなたがやむをえず破戒して女性と関係を持つことがあったとしても、私がその相手となり、そなたの生涯を豊かなものに仕立てあげ極楽へ導こうではないか」と伝えたのでした。

それはこの時の範宴にとって、阿弥陀如来の慈悲をあらわす観音菩薩が、「法然のもとで出家・在家も関係なく救われる仏道を確認するがよい」と命じられているのと同義でした。

範宴は、飛び起きるとバタバタと荷物をまとめて、まだ夜も明けない洛中の町を、法然聖人のいる東山の吉水の草庵へと駆けていったのでした。

■コラム■

親鸞聖人の往生年

親鸞聖人（一一七三―一二六三）が往生した年である弘長二年という年は、ほとんどの期間で西暦一二六二年と重なっていますが、聖人が往生した年月日である「弘長二年十一月二十八日」は、西暦では年が明けて「一二六三年一月十六日」となります。そこで現在の浄土真宗本願寺派では、親鸞聖人の往生年の和暦と西暦を併記する場合、原則として「弘長二年十一月二十八日（一二六三年一月十六日）」等と、年月日まで表記するという方針をとっています。

親鸞聖人の苦悩

親鸞聖人自身が比叡山時代のことを具体的に語っている文献は遺されていません。ですが、たとえば『歎異抄』の「いづれの行もおよびがたき身なれば、とても地獄は一定すみかぞかし」（『註釈版』八三三頁）という言葉などを通じて、その苦悩をうかがうことができます。

また、聖人の玄孫にあたる存覚上人は『嘆徳文』で、比叡山での聖人を「定水を凝らすといへども識浪しきりに動き、心月を観ずといへども妄雲なほ覆ふ」（『註釈版』一〇七七頁）と表現しています。完全に静まった水面のように精神を集中させて、月を観るように心の中の仏を見出していく天台の修行が、波や雲のような心の乱れのために成し遂げられないという喩えです。

聖徳太子信仰と夢告の諸説

中世の人にとって、夢告が重要な意味を持つということは常識的なことであり、親鸞聖人も例外ではありませんでした。また聖人は生涯を通して聖徳太子を強く尊崇していました。その聖人が重大な決断を下すのに際して、太子の夢告を仰いだのは必然だったといえるでしょう。

六角堂での示現の文が何であったかについては、現在でも議論が続いています。その中で有力な候補とされているものが二つあります。一つが本文で取り上げている「行者宿報偈」です。もう一つは「廟窟偈」です。こちらは磯長（大阪府南河内郡太子町）の聖徳太子廟にあったといわれる偈文で、太子廟に参詣すれば極楽世界に生まれることができる、といったことが説かれています（『聖典全書』二、九八一頁・『註釈版』一〇〇五頁）。

吉水の草庵にて

恵信尼(えしんに)さまは、親鸞聖人(しんらんしょうにん)と出遇った「その日」のことを思い出していました。東山(ひがしやま)の吉水(よしみず)の門前に、思い詰めた表情で立たれていたあのお姿を。

——東雲(しののめ)に向かい一心に走ってきた範宴(はんねん)が吉水に到着した時、空は白み、早起きの蝉が何匹か鳴き始めていました。彼はまだ閉ざしてある門前から少し離れた所に立ちました。動悸(どうき)がなかなか治まらないのは、緊張しているからでした。「もし法然(ほうねん)という方が本当に邪説の徒(と)であったなら、これから自分はどうしたらよいのか……」、拭いきれない不安に対して彼は目を閉じ、今し方、六角堂(ろっかくどう)で見た夢を何度も反芻(はんすう)して、ここに来た自分の判断について確認するのでした。範宴は今、人生の重大な岐路に立っていました。

ふと気づけば、門前にはかなりの人が集まり、なじみの者たちが談笑していました。ようやく開門されると、慣れた様子でぞろぞろと石段をあがっていきます。範宴も続いて門をくぐると、中には禅房(ぜんぼう)が三つ立ち並んでいました。東西の房舎は僧侶の住居らしく、真ん中の房舎ではお朝事（毎朝の勤行・法話）を前に、僧たちが慌ただしく出入りしています。

しかしながら参詣者の多いことよ。見渡せば、小袖を着た一般の人々に混じって、猟師の出で立ちをした者や、貴族や武士とおぼしき者もちらほらいます。いろんな宗の法衣の僧や、陰陽師や修験の行者もいます。また女性のすがたも多く、中には遊女とおぼしき女性も眠たげな顔で座っています。そして範宴がもっとも驚いたのは、比叡山で知らぬ者はいない安居院流の唱導師、聖覚法印が参ってこられたことでした。

普段まったく別の道を歩む者たちが一堂に会し、阿弥陀如来の本尊を前に和やかに過ごしています。少し大げさにいえば、市井に生きるどんな類の人もそこにいました。

「こんな場所があるのか……」

比叡山の厳粛さとはまるで違うのですが、範宴は不思議と感動していました。

やがて尊前に進み出た背筋の通った凛々しい僧が、導師となり合掌すると、房舎は参詣者の念仏の声で満たされました。よく通る導師の声で『阿弥陀経』の読経が終わると、導師の簡単な挨拶に続いて、脇からふくよかな体躯の僧が現れました。大きな念仏の声で迎えられたその僧は、柔和な表情の中にもすべてを見通すがごとき涼やかな目をしています。その方こそほかでもない法然聖人でした。そこからの法然聖人の話は、まるで範宴がこの日に来ることを知っていて、彼の問題意識を知悉していたかのような内容でした。範宴は強烈に惹きつけられたのでした。

仏道とは多門であるが、いずれの道を選んだとしても、それが「生死出づべき道」でなければならない。ところが、この末世に生きる者の多くは、どうやっても清徹には生きていけない「愚痴の凡夫」であり、そういう者にとってあまたの仏道はもはや「成仏道」とはなり得ないと断言されたのでした。しかしながら十方衆生の救済を本願とされた仏がおられる。それが阿弥陀如来である。かの仏は愚痴の凡夫を大悲され、五劫もかけて思惟され、この者を往生させるため、本願に易行の極みである最上の勝れた行法「南無阿弥陀仏」の称名念仏を選択されておる。その仏意を受け取り、ただちに専修念仏に生きるべきだ、それがいかなる者にも開かれた唯一の成仏道だからである、と力強く述べられたのでした。

「やはり、ここに道が……」、範宴は途中からこぼれ落ちる涙をどうすることもできないままでした。長年抱えていた深刻な葛藤の核心をつく法然聖人の話に、話が終わって他の者が帰路についてからも、まだ動けないほどに感動していたのでした。その時、不意に後ろから「失礼。それがしは安楽房*と申すが……」と声をかけられました。みると先ほどの導師をつとめた僧でした。彼はほほえむと、「法然さまがそなたと話したいといっておられるが」といいます。範宴はしずかに立ち上がりました。

初対面

「確かに何度か目が合ったような気はしていたが」――。不思議な思いで法然聖人の禅室に入っていくと、二人は向かい合ってしばし沈黙していました。法然聖人がぽつりと「どうして来られた」と尋ねられました。範宴は緊張した面持ちで、小さく一つ咳払いをすると、これまで抱えていた葛藤を洗いざらい話し始めました。法然聖人も真剣な、それでいて優しい眼差しで範宴を見つめ続けました。範宴が話し終わると、法然聖人は「ようわかる」とつぶやかれました。しばらく沈黙の後、法然聖人に「で、（話を聞いて）どう思うたね」と問いかけられ、範宴は素直に、法然さまの語る阿弥陀如来の本願の仏道に非常なるあたたかみを感じたことを伝えましたが、「しかしながら」と慎重に言葉を選びつつこう語りました。「いかんせん先ほどの『双巻経』（『無量寿経』のこと）、『観無量寿経』や善導大師に関するお話は、山で聞き親しんだものとは相違するところも多く、もう少し聞かせていただきたく……」。この言葉を聞いた法然聖人は、顔をほころばせ「そうやろ、そうやろ」と言うと、優しいお顔で「何遍でもおいでなさいや」と告げられたのでした。

以来、範宴はどれだけ雨の降りしきる日も太陽が照りつける日も、またどんなに風が吹き荒れる日でも吉水に通い続けました。通う中で範宴の顔もしだいに和(やわ)らぎ始め、時には法然聖人のユニークな譬(たと)えを聞いて、他の参詣者と共に笑うようになっていました。そんな日が百日も続き、ツクツクボウシが秋風を運んできた頃、彼の心はもう固まっていました。比叡山の仏道を「雑行(ぞうぎょう)」として棄(す)て、阿弥陀如来の本願に帰(き)して生きていく決心をしたのです。

法然聖人にその決意を告げると、聖人は静かに笑まれ頷かれました。範宴がこれを機に名を改めたいと申し出ると、聖人は少し考えられて「綽空(しゃくくう)」という名を与えました。初日の対面といい、わが名（源空(げんくう)）から一字を与えられたことといい、法然聖人が新参者にこのように接することは本当に珍しいことでした。

――そんな懐かしい日々のことを思い出しながら、恵信尼さまは日記から目を離すと、一息つかれたのでした。

門下での日々――『選択集』相伝――

綽空はとにかく法然聖人の語る浄土三部経や道綽禅師、善導大師、源信和尚の『往生要集』の理解に衝撃を受けていました。膨大な知識量を背景に、聖教の隅々の文言、一字一句に至るまで見逃さず、仏意や祖師方の問題意識を深く把握し、自身の経験と照らし合わせながら論理的に語られる内容には、大変な説得力がありました。まるで聖教の文言がいのちを吹き込まれ、次々に輝き始めるような気さえするのでした。綽空が質問に行くと、法然聖人はいつも嬉しそうに対応されました。まさに砂地に水が染みこむように、綽空はその教えを吸収していったのです。また生来、気さくな性格の綽空は、兄弟弟子ともすぐに仲良くなりました。ここにはそれこそ、いろんな思いを抱えて多くの者が集まっていましたので、時に教えの理解をめぐって言い合いもしましたが*、みな念仏と共に生き、何より法然聖人を心から慕う連中ばかりでした。中でもはじめに声をかけてきた安楽房や、比叡山時代から知り合いの聖覚法印とは年が近いこともあり、綽空を何かと気に掛けてくれました。また聖覚法印と同じく比叡山で学徳兼備の誉れ高い隆寛律師もここに足繁く通う一人で、綽空より二十五歳も年長でしたが、彼も優しく接してくれたのでした。

ところで、法然聖人の教えの軸である善導大師には『観経四帖疏』という『観無量寿経』の註釈書と、『法事讃』という『阿弥陀経』の儀礼書があります。綽空はある時、紙に『観無量寿経』と『阿弥陀経』の文言を行間をたっぷり空けて大書し始めました。そしてそれが終わると、なんとその行間や上下の余白に、善導大師のそれらの書物を中心に、諸典籍から註釈の文言を極小の字で書き込み始めたのです。その凄まじさは門弟間でも大いに話題となりました。出来上がったものを法然聖人もしげしげとご覧になられていましたが、ふと顔を上げるや、目をしばたたかせ「わしには、こりゃ、もう読めんわ」と笑われたので、綽空や門弟も思わず噴き出したのでした。しかし法然聖人はこの頃、綽空には明らかに一目置いていました（『観無量寿経註・阿弥陀経註』）。

入門から四年目を迎えた元久二（一二〇五）年。この前年あたりから、比叡山や興福寺からの、法然聖人やその門下に対する風当たりがずいぶん強まっていました。そんな春の彼岸の頃、お朝事の後に法然聖人は綽空を禅室に呼び出されました。何ごとかと不思議そうな顔で座る綽空の前に、法然聖人は布でくるんだものを無造作に差し出すと「写してみるか」と言われました。綽空が「えっ」と驚き丁寧に布をとってみると、一冊の本が出てきて、外表紙には「選択本願念仏集」と書かれてありました。綽空は見た途端に、熱いものがこみ上げてきて「謹んで……」と頭を下げた後は、涙で言葉になりませんでした。

『選択本願念仏集』。この書こそ法然教学の奥義が余すところなく記された、まさしく聖人の主著と位置づけられるものでした（以下、『選択集』）。綽空がこれほど感激したのは、この書の最後に、

> 庶幾はくは一たび高覧を経て後に、壁の底に埋みて、窓の前に遺すことなかれ。おそらくは破法の人をして、悪道に堕せしめざらんがためなり。（『七祖篇註釈版』一二九二頁）
>
> （一たび読んだ後は壁の中に埋めて、人目につかないようにしていただきたい。それは、念仏の法をそしる者が悪道に堕ちることがないようにとの配慮からである）

とわざわざ注意書きがしてあるほど、直截に記された内容ゆえに門弟の中でも正しい領解（法の理解）を持つ者だけに限って相伝されていたことを知っていたからです。門内でも実際にこの書の書写を許されたのは、この当時でおそらく五人ほどではないかと噂されていました。綽空の書写は異例の早さでした。

四月十四日、綽空が書写したものを持って法然聖人のもとへ参ると、法然聖人はパラパラとめくって確認され、少しだけ頷かれました。すると法然聖人は筆を取り、表紙を一枚めく

った本文の書き出しの所に、書写の時に仰せつかったように空けておいたスペースへ、手ずから「選択本願念仏集」という内題の文字と、「南無阿弥陀仏　往生之業念仏為本」「釈綽空」と書いてくださったのでした。

　同日、今度は法然聖人が所持されていたご本人の絵像をお預かりして、画師に書写を依頼しました。それが閏七月二十九日に出来上がったので、ふたたび持参すると、法然聖人が今度はその絵像の上段に自筆で「南無阿弥陀仏」と書かれ、善導大師の『往生礼讃』の「若我成仏　十方衆生　称我名号　下至十声　若不生者　不取正覚　彼仏今現在成仏　当知本誓重願不虚　衆生称念必得往生」と書かれたのでした。その時、綽空が「恐れながら……」と、実は最近、夢の中で新たな名前への改名を告げられたことを告白しました。法然聖人がその名を尋ねると「善信」だといいます。*聖人は了承され、そのように書いてくださったのでした。この絵像の書写というのは、おそらく禅宗で用いられた祖師や師匠の肖像画を写す「頂相」の儀式にならったもので、師が自筆で讃文を書いた場合は、特に法義の真髄を相伝するという意味を持ちました。つまり、『選択集』と絵像の書写とは、善信に対する一種の免許皆伝のような意味を持ったのでした。

――恵信尼さまは、親鸞聖人がこの時の深い感動を、生涯事あるごとに語っていたことを懐かしく思い出しました。しかしこうした日々の終焉が、実はすぐそこまで近づいていたことも思いあわされ、彼女は苦しさで胸がいっぱいになりました。この後、法然聖人とその門下の面々は、悲惨な弾圧事件の当事者となっていかねばならなかったのでした。

■コラム■

安楽房遵西

安楽房遵西は外記という官職を代々務める家の出身で、俗名を中原師広といいます。若くして法然聖人の門弟となりました。美声と音楽的才能の持ち主で、同門の住蓮房と、善導大師の『往生礼讃』を哀調あふれる節譜で唱える「六時礼讃」の法会（ライブ）をたびたび開催し、多くの人を集めました。この二人は「六時礼讃」の法会の始まりといわれる建久三（一一九二）年の後白河上皇追悼法要の参加メンバーでもありました。しかしその活動が、後に「承元の法難」のきっかけを作ることになってしまいます。

なお安楽房は能筆家でも知られ、法然聖人から『選択集』の執筆役を仰せつかり、第二章までを執筆します。しかしその名誉を誇っていたため解任されてしまったと伝えられています（『法然上人行状絵図』第十一巻）。

法然門下での二つの論争

「信心一異」は、親鸞聖人が「私の信心も法然聖人の信心も同じ信心です」と発言したことをきっかけとする論争です。兄弟子たちは、智慧すぐれた師と善信房の信心が同じはずがないと反発。親鸞聖人も、智慧が同じなのではなく往生の信心が同じなのだと譲りません。判定を求められた法然聖人は「私の信心も善信房の信心も如来より賜った同じ信心である」と言い切ったのでした（『註釈版』八五一頁）。門下での論争はもうひとつ「信行両座」が知られています（本書「熊谷直実」篇参照）。

どちらの論争も信心に関するものであったことは、親鸞聖人が後年、信心が往生浄土の正因と強調したことから考えて注目されるところです。

改名に関する諸説

親鸞聖人の夢告による改名に関する説明は、先人の文献によっても微妙なばらつきがあります。

（1）「綽空」を「善信」と改めた……覚如上人『拾遺古徳伝』（『聖典全書』四、一八五頁）、存覚上人『六要鈔』（同、九九八頁）。
（2）「綽空」を「善信」と改め、また実名を「親鸞」とした……乗専（覚如上人門弟）『最須敬重絵詞』（同、四三〇頁）
（3）「善信房綽空」を「親鸞」と改めた……実悟（蓮如上人第二十三子）『日野一流系図』（『聖典全書』六、一三五二—一三五三頁）
本書では（1）の説に基づいて描写しています。

3　別離のとき

恵信尼との結婚

恵信尼さまが、文机から顔を上げてみると外は粉雪が舞い、風景は白く霞んでいました。

嬉しげに騒ぐ子どもの声を聞きつつ火鉢に炭を足すと、彼女は親鸞聖人との思い出を追想するのでした。

――吉水に先に出入りしていた自分とあの方とは、しばらくは会釈を交わす程度で距離があったこと。しかし彼の、真剣に楽しそうに学ぶ姿勢に惹かれ始め、自分から思い切って話しかけて以来、少しずつ会話をするようになっていったこと。話題はいつも阿弥陀如来と法然さまのことばかりで、時に兄弟弟子のことも楽しそうに話しておられたけど、自分はいつも横でニコニコ聞いていたことなど、とりとめもない追想は続きます。そういえば、兄弟子の隆寛律師と聖覚法印のことをとりわけ尊敬され、あの頃は隆寛律師の影響とかで天親菩薩の『浄土論』や曇鸞大師の『往生論註』を暇さえあれば開いておられた。*そして、そんな記憶につられて思い出したのは、二人で過ごす時間が自然と増えていたある日の昼下がり。山道が深紅に染まった秋の吉水でのこと。『選択集』書写の時のことを話していたあの方に、突然、改まったお顔で「この本願の仏道をそばでずっと、ともに歩んでくださいませんか」と打ち明けられ、胸がいっぱいになり、涙した日のことでした。

二人でそのことを報告にあがったときの法然さまの、あの見たこともない嬉しそうなお顔。その時のしあわせな時間が思い出され、恵信尼さまも自然と微笑まれたのでした。

法然浄土宗の弱点

「あそこには、本当にいろんな方々がおられた」。恵信尼さまは法然門下の当時の様子を思い出していました。

――当時の法然門下は、「一念義」といって、無上の行徳をそなえる南無阿弥陀仏ゆえ一回の称名で、あるいは信じるのみで往生が決まると主張する人たちと、「多念義」といって、多くの念仏を実践してこそ往生できると主張する人たちに理解が分かれてしまい、論争になっていました。たしかに法然聖人は、一念義の人たちがいうような説法をしばしばされましたし、聖人ご自身が一日に六、七万遍の念仏を称える多念の実践者でもありました。しかしながら、一念義の中には「一度念仏したらあとは念仏する必要がない」と言い出す者や、「どのような者でも救う」という専修念仏の教えを逆手にとり、開き直る素行不良の者もいました。また多念義の極端な理解は聖道仏教そのもののようでした。

法然聖人もこの論争には胸を痛められ、たびたび「信おば一念に生るととり、行おば一形をはげむべし（無上の功徳をそなえた一声で往生すると信じ、生涯念仏していきなさい）」（『聖典全書』三、一〇二三頁）と説き、一方に偏ってはならないと強く諭しておられました。また善信も機会があれば、他の門弟にしきりに「念仏往生という法義は、一念でも多念でもないと受けとめる《信心》が肝要だ」と述べ、時に曇鸞大師の「他力」という言葉を用いて説明していましたが、聞いて頷く人も、顔をしかめて首をかしげる人もいました。

このように法然門下といっても、理解にはかなりのばらつきがありました。法然聖人の教えは多くの者に救いの道を開きましたが、そうやって急速に拡大した教団の隅々にまで、正しい領解（法の理解）をなかなか徹底できないという実状もあったのです。これこそ法然浄土宗の最大の「弱点」でした。空前の悲惨な弾圧事件は、ここから起こってしまうのでした。

偏執という評価

善信が『選択集』を書写した前年の元久元（一二〇四）年。七十二歳の法然聖人は、疲れた表情を見せられることが多くなりました。理由は比叡山でした。

当時、比叡山や南都の諸寺は、「法然は偏執（偏った考え）だ」と揃って断じています。本来「念仏」とは非常に広い意味を持ちます。智慧の心眼で如来・浄土を観察する行を最高レベルと位置づける一方、称名とは最も簡単な最低の行とみるのが一般的な「念仏」理解でした。この価値観を背景として、より高次の行へ挑み、少しでも福徳を身につけ、仏陀への階段を一段でも上がる。こうした仏道理解が常識の時代ですから、「法然は《選択本願念仏》と言って、その最も低劣な称名だけを如来が本願に選取したと偏執し、返す刀で、他の一切の行は如来が選捨した行だといって捨てさせている。言語道断だ」という見方が大勢を占めたのです。一方で法然聖人は、その「常識の仏道」を歩めない者を大悲された阿弥陀如来が、最も易い行を、最勝の正定業として万徳をこめて成就したのが念仏往生の法だと繰り返し説きましたが、受け入れられず、民衆ウケを狙った邪宗だと嘲笑されたのでした。そして、法然聖人の立場をさらに追いつめたのは、「専修念仏」の名の下に、実際に社会の風紀を乱す素行不良の者たちが跡を絶たないことでした。

この状況に、元久元年十一月、遂に比叡山の怒りが爆発します。東塔・西塔・横川の三塔の僧が大講堂に集結し、天台座主へ専修念仏の停止を願い出たのです。これまでも非難されては真摯に弁明して難を逃れてきた法然聖人でしたが、今回はかつてない厳しい状況となってしまいました。聖人はすぐに、みずからの禅室に聖覚法印や隆寛律師を呼び寄せ、情報を収集し善後策を熱心に協議し始めたのでした。

同月七日、法然聖人は、聖覚法印に天台座主への「起請文」を執筆させ、改めて浄土宗の立場を弁明して弾圧回避を願い出ました。そして同日、門下全員に向け七箇条にわたる「制誡」を明らかにしています。内容は他宗の者に議論を仕掛けたり、その行を捨てろと迫ったり、念仏には戒行がないといって飲酒や肉食を勧めたり、師説と騙って勝手な理解を広めたりするなといったもので、背けば破門にして出入り禁止にするという厳しいものでした。三日間でおよそ一九〇人に承服・連署させており、善信も門下の中で親しくしていたグループと共に出向き、八十七番目に「僧綽空」（当時）と名を列ねました。*

これで事態は収まったと大半が楽観する中、法然聖人の見方は違っていました。だからこそ翌元久二（一二〇五）年の早々に善信を呼び出し、『選択集』書写と真影の図画を許可されたのです。彼にこのタイミングで、しかも入門から異例の早さで許可を与えたことには極めて深い意味がありました。聖人はどうやら「浄土宗の解体もあり得る」とすでに予見されていたようです。ゆえに数名の高弟に加うるべく法義継承者の育成を急いだのでした。聖人は、善信の並外れた思索力と鋭い感性を愛し、彼との時間はいつも楽しそうにされていました。善信もふと落ち込む聖人の表情をみて心配はしましたが「何も心配いらん」と微笑むばかりで、その問題には立ち入らせないという態度だったため、善信もそのように過ごしていました。しかし、皮肉なことに法然聖人の読みは的中してしまうのでした。

法然聖人最後の姿

その元久二年十月。藤原氏の氏寺で南都諸寺の代表格である興福寺が、朝廷に対して、専修念仏の停止と、法然および門弟を罪科に問うよう訴えた「興福寺奏状」を提出します。* これは南都六宗のみならず、天台宗（比叡山）や真言宗（高野山）も併せた仏教界の総意だとして「前代未聞」の「八宗同心の訴訟」と記された、きわめて重たいものでした。原因は一部の法然門弟が、聖人の苦労も知らず、「比叡山との一件で座主に送った起請文は表向きのことで、法然聖人の真意は違う」などと心ない軽口を叩いていたことにあったようです。

一方、当時の朝廷で最大の実力者は九条兼実です。彼や次男の良経（摂政）は、法然聖人を深く尊敬し懇意にしていました。十二月に良経が「法然の本懐に背く門下の邪執の輩は罰せられるべきだ」とする宣旨を出しますが、露骨に法然聖人を擁護するものだったので、興福寺は納得せず圧力を加え続けます。しかし朝廷も、のらりくらりとかわし続けます。

ところが事態は暗転しました。翌元久三（一二〇六）年の三月七日、良経が急死したのです。

そしてさらにその年末、都に信じがたいスキャンダラスな噂が流れました。それは「日本一の美僧」と謳われ、『往生礼讃』の声明で民衆を虜にしていた法然門下きっての人気者、安楽房にまつわるものでした。彼は、以前から既成仏教側に目を付けられていたのですが、なんと後鳥羽上皇の熊野詣の最中に、安楽房らが小御所の女房たちに宮中へ招かれ、声明を披露した後、灯明を消して一夜を過ごしたというのです。しかも中には上皇妃の坊門局もいたというではありませんか。この前代未聞の破廉恥な噂を聞き及ぶや、上皇は激怒しました。これにより九条兼実の工作は完全に吹き飛びました。

翌建永（同年十月《承元》へ改元）二（一二〇七）年、二月九日。上皇の怒りにまかせた強権発動により、安楽房を筆頭に関係僧侶が次々と逮捕され、筆舌に尽くしがたい拷問の後、二月十八日に早くも刑が確定します。安楽房を含む四名は、当時非常に稀であった「死罪」と発表され、都中の耳目を驚かせました。

刑執行の日。六条河原に多くの民衆がつめかけました。騒然とする中、血だらけの着物と凄惨に腫れ上がった顔で、後ろ手に縛られた安楽房が現れた時、民衆はどよめき、悲鳴をあげ泣き出す者もいました。安楽房は役人に許しをもらい、対岸の民衆に向かうと、高らかに『往生礼讃』の日没讃をうたい聞かせたのです。それが終わると今度は大声で念仏し始めました。その様子は美声でならした彼が、時おり声を裏返らせながらも称えることを止めない鬼気迫るものでした。数百遍も称えた頃、彼はふと称名をやめ、固唾を飲んで見守る民衆を優しく一瞥しました。そして、さらに十遍称えたその時、安楽房は斬首されました。その最期が報告されるや、法然聖人は目に涙をため、宙を見つめ静かに念仏されたのでした。

二月二十八日。今度は法然聖人や善信を含めた八名を流罪とする宣旨が発表されます。善信は取り調べで、安楽房の無罪を主張し、専修念仏に対する無理解に対しても断乎たる抗弁を行ったので当初死罪に問われたようですが、結果的に罪一等を減じられ流罪となりました。罪人となったことで天台宗に属した僧籍も剝奪され、法然聖人は「藤井元彦」、善信は「藤井善信」という俗名を与えられ、それぞれ配流先も土佐（現・高知県。実際は讃岐〈現・香川県〉）と越後（現・新潟県）に決定しました。この一連の弾圧事件を「承元の法難」といいます。この一件について善信は生涯、不当弾圧だと憤りを隠しませんでした。

ついに法然聖人へ下された重刑。吉水には一報を受けた者たちが続々と集まり、うつむく者、念仏する者、泣いている者たちで溢れかえりました。善信も恵信尼もかけつけました。愁嘆場と化した草庵で、齢七十六の法然聖人に対するあまりに過酷な重刑に、聖人と一番つきあいの長い門下の長老法蓮房がたまらず「表向きは専修念仏を中止することにしてはどうかの」と提案しました。すると法然聖人が少し笑まれ、「わしはもう八十前よ。そばにおっても別離は近い。しかし、いくら遠く山海を隔てようとも浄土での再会は疑いなしじゃ」といわれました。その言葉を聞いて、法蓮房が目に涙をためうつむき黙った時、法然聖人は「なぁ。わしは長いこと都では念仏の教えを広めさせてもろうたが、田舎にはとんと縁がなかった。そのことを気にしておったのだが、この度の件で念願が叶うわい。これも朝廷の御恩や」と微笑まれ、「この法は、人がとどめようとしてもとどまるようなものではない。諸仏諸神（しょぶつしょじん）の加護（かご）があるし、なによりこの法を待っておる者がたくさんおる」と噛みしめるように力強く述べられたのでした。

すると動転した西阿（さいあ）という弟子が「法然さま、もう説法はおやめください。皆もうなずいてはいかん」と言い始めました。意図を尋ねる聖人に、彼は「世間の風向きを考えると、それがよいかと……」と答えました。すると聖人は目をかっと見開き、珍しく強い語調で「わしはな、たとい死罪になろうとも、この本願念仏を説くことをやめるつもりはない」と言い切られたのです。周りにいた者はその姿に圧倒されて涙を流し、自然と吉水を念仏の声が満たしたのでした。これが善信の見た法然聖人の最後のお姿でした。

■コラム■

法然浄土教と曇鸞大師と隆寛律師

法然聖人は「偏に善導一師に依る」（『七祖篇註釈版』一二八六頁）と述べるほど善導大師に深く傾倒する一方、同じ中国浄土教の高僧でも曇鸞大師の教えについては、いくつか重要な場面で用いていますが、その頻度は多くはありませんでした。

法然聖人の教えを理解する上で曇鸞大師に強く注目したのは隆寛律師でした。親鸞聖人はこの大先輩の影響で曇鸞大師に注目するようになったと思われます。後にその研鑽の成果は『教行信証』で本願力（他力）回向という中心的教義として体系化されました。

「七箇条制誡」の臨場感

「七箇条制誡」（『聖典全書』六、二五頁）は、元久元年に書かれた原本（あるいは原本と同時に作成された控え）が京都嵯峨野の二尊院に所蔵されています。本文や「沙門源空」という署名は法然聖人の自筆ではありませんが、署名に添えられている花押は自筆と考えられています。

また、連署されている「僧綽空」の名前は、若き日の親鸞聖人による自筆です。「僧○

〇」と署名しているのは聖人を含む前後八名だけであるなど、一九〇人の署名には書式などにばらつきが見られます。これは、一枚の紙ごとに署名させたものを集めてつなぎ合わせているためと考えられています。対応に奔走する門下の様子が浮かび上がってくる、たいへん重要な史料です。

「興福寺奏状」と解脱房貞慶

「興福寺奏状」(『聖典全書』六、七六三頁)では、専修念仏の誤りが九箇条にわたり指摘されています。そこには、釈尊を敬わない、念仏以外の諸行を軽視している、戒を守らないといった教義に関する事項の他、勅許なく一宗を立てた、諸宗との協調性がなく国を乱すといった社会的な要素も含まれています。

奏状を起草したのは法相宗の解脱房貞慶(一一五五—一二一三)とされています。彼は将来を嘱望されていた南都の俊英でしたが、京都南部の山中にある笠置寺に隠遁し、戒律復興を志して真摯な求道の人生を歩みました。そんな貞慶にとって、行者の努力を救済の根拠にしない法然聖人の教えは、古き良き仏教の枠組みを破壊する、許しがたい存在だったのでしょう。

4 教えに生きる

越後へ

恵信尼さまの回想は流罪先となった越後（現・新潟県）時代へと移っていきました。それは今、自分が生活している現在地でもあります。四人の子たち（そのうち小黒女房はすでに逝去）が近所で居を構え、元気のいい孫に囲まれ生活している今と、あの頃とでは何もかもが違っていました。

――「流罪」と断罪された建永二（一二〇七）年の二月。その直前の一月に善信の伯父、日野宗業が越後権介に任じられていました。また恵信尼の実家三善家は、九条家などの上級貴族に仕える家柄で、実は父為教まで三代続いて越後介を歴任していたのです。そうした縁もあり、宗業の便宜で「越後」という配流先は決まったのでした。*ですから、彼らが越後へ向かうに当たっては色々な情報や手回しを得てはいました。

とはいえ、いざこの地へやってくると、凍てつく寒さと際限なく降りつもる雪は想像をはるかに超えた厳しさがありました。また「専修念仏」によって流刑の「罪人」となった以上、念仏をすることも伝えることも禁じられ、二人には、何かと辛い日々が続きました。しかし日が経つにつれ、この環境にも徐々に慣れてくると、京都とはまったく違って静かにゆっくりと流れるここでの時間は、善信に「ならば、法然さまに指南された念仏の道を、改めてじっくりと味わい直す時間としよう」「念仏は心で申せばよいではないか」と次々に発想を転換させ、恵信尼と二人、心を温めあったのでした。事情により京都に残してきた善鸞は気がかりでしたが、法然聖人の所に居た時から善信を強く慕い、配流先の越後まで付き従ってくれた常陸（現・茨城県）出身の性信房や、やがてこの地で授かった愛娘の小黒女房をはじめとした子ども達の存在が、二人にとって大きなぬくもりとなっていったのでした。

愚禿釈親鸞の名のり

善信は流罪となるにあたり還俗させられ、「藤井善信」という名を与えられました。しかしその名をよしとせず、これを機に「善信房親鸞」と改名し、時に「愚禿釈親鸞」と名のるようになりました。

これは、法然聖人が『選択集』に「浄土宗」の教えの根拠として、浄土三部経の他に天親菩薩の『浄土論』を挙げられていたのがきっかけでした。その『浄土論』のお心を兄弟子の隆寛律師から、曇鸞大師の『往生論註』を通して深く学んだ善信には、この法義の領解について、新たな地平が広大に開かれていきました。その深い感動から「天親」「曇鸞」のお二人より一字ずつを頂戴した名が、「親鸞」だったのです。

また「愚禿」とは、延暦寺の開山・伝教大師最澄が比叡山へ入山するにあたって残した誓願の一節「愚中の極愚、狂中の極狂、塵禿の有情、底下の最澄（愚か者の中で極まった愚かさを抱え、正常ではない者の中でも極まったおかしさを持つ。僧形をしているが、煩悩の塵にまみれた心を持つ者、それが最低なる私、最澄である）」から頂戴したものでした。それは自己を深く見つめ仏道を歩んだ最澄を象徴するような言葉であり、親鸞が比叡山時代から大切にした言葉でした。

ところで親鸞が大切にした最澄の言葉の一つに、「無戒名字の比丘」という言葉があります。これは最澄の『末法灯明記』＊という書に、末法という時代には、持つべき戒律さえ存在しなくなり、ついに僧侶も妻子を得て生活しているだろう（無戒）。しかしそんな世にあっては、剃髪し袈裟をつけただけの名ばかりの僧侶（名字の比丘）が「世の真宝」とされる存在なのだと記されてあったのです（『註釈版』四二一頁）。越後に来てから親鸞は、この言葉をいつも胸中に置いていました。「《世の真宝》とされる《無戒名字の比丘》とはいかなる生き方か」「それは《官僧》として国家のために祈禱を行い、さも戒律を持っているかのような顔で生きていくことを意味してはおるまい」「眼前でいま苦しむ人に、自分は本願念仏の教えに生きる僧として何ができるのか」。こうした問いを幾重にも重ねる中、彼はいつしか、みずからの立場を「非僧非俗」と表明しました。もとより官僧の道は捨てていましたが、還俗させられた現在をきっぱり「非僧」だと断言したのです。しかしながら、阿弥陀如来に出遇わせてもらった以上、空しく流転を繰り返すだけの俗人というわけでもない。そのことを「非俗」と言われたのですが、それは生涯、念仏者としての生き方を追求することにほかなりませんでした。

これは越後という場所が親鸞に与えた、阿弥陀如来・法然聖人と対話しながらの濃密な思索の時間でした。この時間もまた後に、希代の宗教家を生み出す重要な素地となっていったのでした。

法然聖人のご往生

越後での生活も五年が経った建暦元（一二一一）年。三月には明信（後の信蓮房）を授かったこの年の十一月十七日、親鸞の流罪は赦免となりました。三十九歳となっていた親鸞は、「これで法然さまにお会いできる」といっそう思慕を強くしていました。ところが年が明けた二月の半ば、雪深い一家の庵に、衝撃の一報が届きます。それは、一月二十五日に、法然聖人が御年八十歳にてご往生されたという知らせでした。

聖人最期の時、門下の長老の法蓮房が「あなた亡き後、残された者はどこをあなたの遺跡と頂けばよいか」と尋ねたところ、聖人は「わしがこの生涯をかけて行ったのは、本願念仏の行を興したという、このこと一つよ。ならば念仏の称えられておる所、誰がどこで称えていようが、すべてみなわしの遺跡よ」と語ったと伝えられました。

この言葉を聞き、思わず親鸞の口をついて念仏が出たその瞬間、彼は万感胸に迫って涙が溢れ出し、しばらくの間、嗚咽したのでした。そして言葉にならない深い謝念の中で、念仏し続けたのでした。

親鸞は、その月から生涯にわたって毎月、法然聖人のご命日の二十五日には法会を欠かさず行い、「聖人のおおせには」「大師聖人のみことには」等といって、そのつど、集まった者と教えを確認し念仏していったのでした。

やがて、育児に追われる日々も一段落した頃、これからどう生きていくべきなのか、彼の気持ちはもう固まっていました。

善光寺の念仏聖たち

越後の地には、隣国信濃（現・長野県）の善光寺の念仏聖たちがよく出入りしていました。彼らの中でも「法然聖人」といえば別格の存在であり、その直弟子である親鸞がいることを知った彼らは、しばしば一家を訪ねるようになりました。

親鸞は、各国を遊行する彼らや常陸（現・茨城県）出身の性信房から話を聞くにつれ、鎌倉幕府によって新たな中心地となりつつある関東に、今や念仏の花が咲き始めていることを知ります。そして「法然さまは善導大師の《自信教人信（みずから信じ、人を教えて信ぜしむ）》という言葉を生涯、実践して法を説いていかれた。自分もそのように生きてこそ、師恩に報いることになる」との思いを固くしていました。善光寺の聖たちが一家を支えると強く申し出てくれたこともあり、ついに思い出ぶかい越後を発ち、関東は常陸へ向かうことを決意したのです。

道すがら、念仏聖たちの招きを受け、善光寺へ立ち寄りました。すでに参道から人で混雑していて、門をくぐると再建されたばかりの金堂が煌びやかにそびえ立っていました。もうもうとお香の煙はくゆり、ごった返す参詣人たち。七世紀に百済から伝来したとされる善光寺の有名な阿弥陀如来・観音菩薩・勢至菩薩の一光三尊像の前には特に人が殺到し、声高に念仏を称えていました。親鸞はその熱気に圧倒されながらも新鮮な気分を味わっていました。しばらくここに逗留した後、一家は念仏聖たちと関東へと向かったのでした。＊

三部経の千回読誦

建保二（一二一四）年、親鸞が四十二歳の時のこと。途中、性信房の招きで立ち寄った佐貫（現・群馬県）で飢饉が発生していました。多くの遺体が路傍に置かれ、飢えと渇きに苦しむ人で凄惨な状態となっていました。民衆の助けを求める声を聞き、思いを寄せつつもいかんともしがたいこの状況に、やるかたなく先の土地へ行こうとする一団の中、親鸞はそこを動こうとしませんでした。そして彼は思い詰めた顔で仲間に、「衆生利益のために」浄土三部経の千回読誦を発願すると宣言したのです。これは古来から伝わる日本独自に生まれた儀礼でした。主に『法華経』が用いられ、千回の読誦によって神仏の加護、ないし何らかの霊験（夢の中で指示を与える等）が得られるとされる、多分に神秘的で呪術性を帯びた行法でした。恵信尼は、夫が初めて見せたこの決断に、何とも言いようのない違和感を覚えましたが、押し黙っていました。

　ところがです。四、五日すると彼は、ぱたりとその行を止めたのです。「この方が一度決断したことを翻すなんて」と驚いた恵信尼が理由を尋ねると、親鸞は「善導大師の《自信教人信、真成報仏恩（みずから信じ人に教えて信じさせることが、まことに仏の恩に報いることになる）》との言葉を頂きながら、本願念仏の他に何の不足があって自分はこんなことをするのかと思ってな……」と苦々しい表情で呟いたのです。その後、親鸞は一転して民衆に近づき法を説き始めたのですが、あくまで呪術的読経を願った彼らに、それは受け入れられず、一団は、しばらくすると常陸へ向かったのでした。

　恵信尼がこの事を深く記憶するに至ったのは、この十七年後の出来事があったからです。時は寛喜三（一二三一）年。未曾有の大飢饉が日本全国を襲ったこの年の四月四日。五十九歳となっていた親鸞は、病による高熱にうなされていました。病床で八日目。彼がふと「もう、そうしよう」と呟いたのです。看病にあたっていた恵信尼が真意を尋ねると、彼は「床に臥した二日目から実は七日にわたって『無量寿経』を読み続けていたんだ」と告白し始めたのです。そして「そうしている内に夢の中で『無量寿経』の文字が浮かび上がり始めた。《これは何だ》と考えている内に、佐貫の件を思い出したんだ。《あの時、あれほど反省したはずなのに、まだその心が残っていたんだな》と思って、さっきはそう呟いたんだ」と語ったのでした。

――恵信尼は、この一連の出来事を非常に印象深く受けとめました。この二つの経典読誦について親鸞が反省されたのは自力の信心、中でもその呪術性に関する部分でした。四十二歳の時は飢饉に対して、五十九歳の時は飢饉に対してか、病の治癒に対してか見解は分かれますが、いずれにしても当時はそうした事態に対し、経典を数多く読むことで霊験あらたかな現象を引き起こし、状況を打開しようとすることが「常識」だったのです。

ところが親鸞は、善導大師の「自信教人信」との言葉を思い出し、それを止め反省しました。それは法然聖人がしばしば「いのるによりて病もやみ、いのちものぶる事あらば、たれかは一人として病み死ぬる人あらん」（『聖典全書』六、四九一頁）と語り、釈迦如来の説きおかれた教えとは、決して不如意の現実から目を背けさせ、呪術で奇跡を願わせ、人を救うものではないと否定されていたからです。

親鸞の気づきはここにありました。むしろ思い通りにならない現実の中で阿弥陀如来に出遇い、ありのままの自分が念仏に導かれ、浄土へと歩んでいく。そう受け止める時、その人生が「生死出づべき道」たる仏道へと転じられていくのである（自信）。それを伝えること（教人信）が僧侶の役割ではないか。それこそわが身を念仏する者に育て上げたお方々への恩を報じる道ではないかと確信したのでした。

この一件は苦しむ民衆（あるいは病）を前にした時、「当時の常識」と「本願の仏道」との狭間で、親鸞の中に起きた「念仏聖」としての揺らぎでした。恵信尼は、そうやって葛藤し、反省を繰り返されるその姿に、自己を「非僧非俗」と言われ、「無戒名字の比丘」の生き方とは何かを真剣に問い続けた親鸞という方の本領を見た気がして、心底、感動したのでした。

この念仏聖の一団は佐貫の一件の後、やがて常陸へいたり、二十年間をそこで過ごすことになります。ここで親鸞聖人と関わった多くの人たちが、彼を通して阿弥陀如来に出遇い、そのぬくもりを知っていきました。そして何より親鸞聖人という人物に魅了されていくのでした。

■コラム■

親鸞聖人の親族と官職

三善家が歴任していた越後介は、今でいう副知事のような役職です。中央貴族の名目上の役職という性格が強く、遥任（現地に赴かず京都に留まること）する者が多くいました。三善為教も、越後に赴いたかどうかは定かではないといわれています。

日野宗業が就任した越後権介は「権」（仮）とある通り、定員外に置かれた越後介ということです。こうした権任国司の存在や地方官の遥任は、律令制の日本において長く通例になっていました。宗業もやはり、京都にいて現地に赴くことはありませんでしたが、甥一家のために便宜を図るのに十分な権限は有していました。そのような縁のある越後の地に、後になって小黒女房・信蓮房・益方入道・高野禅尼の四人の子が居住したのでした。

『末法灯明記』

この書は僧尼を厳しく取り締まる法令が末法の時代には無意味であることを桓武天皇に訴えるために、最澄が延暦二十（八〇一）年に著したと伝えられています。栄西や日蓮など、鎌倉仏教の祖師らがしばしば引用しており、法然聖人も説法の中で同書の喩えを引用しています。

親鸞聖人は『教行信証』「化身土文類」に同書のほぼ全文を引用しています。『教行信証』には末法算定の基準として、元仁元（一二二四）年という年紀が示されています。この年、延暦寺は専修念仏の停止を要求する「延暦寺奏状」を提出し、まだ諸経の教えが滅んで念仏が盛んになる時代ではないと主張しました。その時代認識の誤りを、延暦寺の開山最澄の言葉で正す意図が、親鸞聖人にはあったのではないかと見られています。

親鸞聖人と善光寺聖

親鸞聖人流罪の地と伝えられる上越から善光寺を通り碓氷峠を経て群馬県へ入る道は、古くから善光寺参りの人らが行き交う要路でした。

その善光寺を拠点に、各地を遊行して人々を教化し、懇志を募っていたのが善光寺聖と呼ばれる僧侶たちです。善光寺聖と親鸞聖人との関係については、聖人自身が善光寺聖であったという説、聖人は善光寺聖ではなかったが関東まで同道したという説、聖人と善光寺聖との同道自体を疑問視する説など、さまざまな見方があります。

5　求道の跡

関東での日々

恵信尼さまは、関東の常陸国に到着してからのことを回想していました。あそこでは小黒女房や明信（信蓮房）に加え、有房（後の益方入道）や高野禅尼、そして末子の覚信尼を授かり、とにかく毎日がバタバタと大変でしたが、今となっては満たされた楽しい日々だったという印象だけが残っています。多くの出遇いと、周りの方々の支えがあって、親鸞聖人も自分もよく動き、草庵に集う人がみるみる増えていったあの頃のことです。

――親鸞一行は常陸国に到着すると、ひとまず下妻の「小島」という場所にある草庵に落ち着くことになりました。恵信尼は、これからの生活について先行きがわからず不安な思いも抱えていましたが、夫の親鸞や性信房、善光寺の念仏聖たちを見ていると「まあ、何とかなるか」と不思議と楽観的でいることができたのでした。そこでの暮らしといえば、親鸞は日中、毎日出かけました。そして雄大な山々のもと田畑で出精する人たちに声をかけては腰を下ろして談笑し、草庵での法座に誘うのでした。当初は内気なのか、口数も少なくなかなか打ち解けてくれなかった人たちも、親鸞が毎日、声をかけ続ける内に少しずつ心を開いてくれるようになりました。また性信房や念仏聖たちの引き合わせで、後々親鸞を力強く支えた蕗田（下総国）の善性房*や、高田（下野国）の真仏房*と出遇ったのもこの頃です。特に真仏房には、顕智房や覚信房を始めとした多くの仲間がいましたが、彼らはみな親鸞という人物に強く惹きつけられ、生涯、心を尽くして慕い続けたのでした。

小島で三年ほど暮らした頃、一家は、高田の方々の熱心な誘いによって、同じ常陸国のもう少し中央部で、下野国にもほど近い、笠間の「稲田」という場所へ移り住むこととなりました。稲田での生活は十年以上に及びますが、ここを起点にして、だいたい一日の徒歩圏内（四十キロメートル以内）に、親鸞を慕う門弟たちの輪が、何百と広がっていったのでした。

「そういえば」と恵信尼さまが苦笑して思い出したのは、明法房（弁円）のことでした。

はじめ彼は、稲田へ弓矢を携え凄まじい形相でやってきました。友好的とは言いがたいその態度に、恵信尼はつとめて明るく接したものの、部屋で親鸞が面会している間は気が気ではありませんでした。しかし帰る頃にはすっかり打ち解けており、改めて親鸞の懐の深さに驚かされたのでした。このように稲田へは、必ずしも親鸞に好意的な者ばかりが来訪したわけではありません。それは従来の仏教的枠組みでは捉えきれない彼の教えに反発する者であったり、草庵に集う人の多さを妬んだ在来の宗教者であったりさまざまでした。しかし親鸞は誰とでも臆することなく会いましたし、話し込む内に、明法房のように、不思議と彼に惹きつけられる者が少なくなかったのです。

恵信尼にとって、親鸞の「求道者」としての気質は、かねてからよく知るところでした。しかし本当に誰とでも気安く談笑し、たとい当初は邪険に扱われても結果的には親しくなる、というような弾力性のある内面や伝道に対する積極性は、彼女がそれまであまり知らなかった一面でした。親鸞が法座で人間の実相を語る時、彼独特の内面を鋭く射貫くような言葉や、時に用いるユニークな譬えは人々を惹きつけ共感させましたし、また阿弥陀如来の法を説く時、彼の語るあたたかな世界は、人々に言いようのない深い感動を与えました。そうやって彼が丁寧に心をこめて語る法話を聞きに、やがて草庵には耕作農民の他、漁猟民や行商人、武士や山伏など老若男女が入りきれないほど集まってくるようになっていきました。親鸞が続けてきた仏道の研鑽（自信）が、人に伝わる（教人信）という形で、見事な大輪の花を咲かせたのでした。恵信尼はこの頃、親鸞が放っていた輝きと、そこに集う方々を眺めてはしばしば思っていました。まるで「吉水の草庵」のようだと。

『教行信証』の執筆

恵信尼さまは改めて覚信尼さまのことを思っていました。末子の彼女を授かった元仁元（一二二四）年、それは専修念仏の教えに再び激しい弾圧の波が襲いかかってきた年でもありました。

――十一月に「元仁」と改元されたその年、つまり貞応三年は法然聖人の十三回忌に当たっていました。親鸞は五十二歳でした。

あの「承元の法難」の後も、人びとは専修念仏の教えのぬくもりを決して忘れたわけではありませんでした。法然聖人の十三回忌という節目の年に、京の地でひそかに伝えられてきた念仏の教えを各地で人びとが求め始め、ふたたび専修念仏が盛行し始めたのです。この動きに敏感に反応したのが比叡山でした。その年の五月、延暦寺の大衆法師等、実に三千人の合議として朝廷に「延暦寺奏状」が提出され、彼らは改めて専修念仏の停止を求める天裁を請うたのです。

親鸞は関東にてそのことを知りましたが、その上奏された内容たるや、人間観の根本的な相違に基づく、教えに対する無理解と誤解に満ちており、「興福寺奏状」の時から何も変わってはいませんでした。また一方で法然聖人当時からの、同門の弟子たちによる理解の混乱という状況は今もなお続いていました＊。

実は、親鸞には以前から「阿弥陀如来の仏道を、自分なりにまとまった形で表現してみたい」という願望がありました。その思いはこうした状況を承け、いよいよ膨らみ、自分がこれに取り組むことが門外・門内の無理解や誤解に応えていくことになる、それが恩師法然聖人へのなによりの報恩になる、と確信するに至り、ついに書物の執筆を決心したのです。

親鸞によって構想されたその書は、阿弥陀如来の智慧と慈悲の結晶である本願を源泉に位置づけ、そこから展開した浄土三部経や七高僧＊の書物などが自在に引用して連結され、諸処に親鸞の言葉が加えられることで骨組みが形成されました。そこに長年、几帳面に蒐集したり筆記したりして蓄えられた膨大な聖教の文言が絶妙に配置されてゆくと、広大なひとつの世界が立ち現れてきました。それはまるで阿弥陀如来の無限なる世界が、聖教の言葉を通して立体的に、また動的に、ぬくもりを伴って現出してくるかのようであり、このような表現は親鸞にしか成し得ない業であったといってよいでしょう。

十年以上の歳月をかけて一応の完成にこぎつけたこの書は、『顕浄土真実教行証文類』

(『教行信証』)と題されたのでした。この書こそ、法然聖人の「浄土宗」の真実義たる「浄土真宗」が余すところなく表現された仏教史に燦然と輝く大著です。ここに記された阿弥陀如来の救済の真髄が、後世、苦しみ悩む多くの者に、かけがえのないあたたかな光となっていきました。親鸞は生涯、この書の改訂の手を休めることはありませんでした。*

子に遺すもの

そんな常陸国での日々も二十年が経過した頃、一家はふたたび大きな分岐点に立っていました。齢六十を超えた親鸞は体力的には壮健そのものでしたが、彼は『教行信証』の完成に向け、関東の地での資料不足に慢性的に悩まされ、いつしか文化的中心地、京都での生活を強く思うようになっていました。それに京都には息子善鸞がいます。親鸞は彼と一緒に暮らしたいという思いを常に抱えてもいました。しかしながら一方で、この常陸の地で育まれた多くの念仏者たちが、自分を慕ってくれているのも重々感じており、後ろ髪を引かれる思いも強くあります。一家はいろんな方と話し合いを重ねた結果、最終的には門弟たちが「親鸞さまとの連絡ならば、どうとでもなるから」と背中を押してくれたことで、ついに京都を目指すことになりました。

京都で一家は、五条西洞院に住むことになりました。そこで善鸞との再会がありました。長い年月によってできた両者の溝を少しずつ埋めてくれたのは、善鸞が結婚した相手との間に授かった子、つまり親鸞や恵信尼にとっての孫、如信でした。また関東の門弟たちはかわらず物心両面から親鸞一家を支え、たびたび上京しては親鸞に教学的な質問や生活全般の相談事などをしていましたし、親鸞も多くの書物を書写したり、みずから執筆してはこまめに関東へ送ったりして、両者のあたたかな交流は続いたのでした。

しかしながら親鸞が齢八十を超え人生の晩秋へさしかかった頃、一家は今後を見据え、重大な決断を下します。すなわち、恵信尼の実家、三善家が持っていた越後の所領を小黒女房、明信、有房、高野禅尼の四人の子へ分け与え、恵信尼も管理者として越後に住むことにしたのです。これが娘たち息子たちへの、いわば「遺産」でした。

この時、すでに善鸞は異義の混乱を落ち着けるため一家で関東へ移住していましたし、覚信尼は早くに結婚して二児を得たものの、若くして夫を失い、その後は公家の名門、久我家に女房（上級女官）として出仕していました。ですからこの二人に越後の土地を与えることはできませんでした。しかも覚信尼の場合はそればかりか、その家族の移住によって二十代後半だった彼女が、晩年の父の世話まで一手に引きうけることになりつつあったのです。恵信尼は夫との別れの辛さもさることながら、娘への申し訳なさでいっぱいでしたが、覚信尼はグチをこぼすどころか、屈託のない笑顔で、「自分は大丈夫だから」と、逆に母や兄姉を気遣い、明るく送り出してくれたのです。

――そんなあの子が今、父の最期を見届け、その「死」に不安を覚え、ここに手紙を送ってきている。

恵信尼さまは、ずっとひとりで頑張ってきた娘を思い、胸がいっぱいになりました。彼女は日記をひもとき、ここまで夫との歩みを追憶してきた所でやっと今、母親として、京都でひとり不安を抱える彼女に何を遺してあげられるのか、気持ちの整理がつきました。それは、娘が知らないであろう、夫、親鸞聖人と過ごした日々について語り、娘に「あなたの父上がどんなお方であったのか」を伝えることでした。

比叡山で悩み抜き、六角堂の懸命な参籠を経て吉水の門前へとたどり着いたあのお姿。みずからの「生死出づべき道」を求め、法然聖人の教えを徹底して聞き続けていかれたあのお姿。苦しむ人びとを前に、浄土三部経の千回読誦による救済を思いたつも、中断して猛省されたあのお姿。恵信尼さまにとっては、どれも夫「親鸞」の仏道者としての希有な歩みを如実に物語る、大切な思い出でした。

そんなことを思ううちに、恵信尼さまが思い出したのは、かつて下妻の小島で暮らしていた頃に見た「夢」でした。

どこかのお堂の落慶法要を明日に控えた宵祭り。明るく燃えるたいまつ。鳥居のような門にかけられた二つの仏の絵像。光り輝き、よく見えないので、近くの人に尋ねてみると、一方を指して「あれは法然聖人だよ。勢至菩薩でいらっしゃる」と答えます。そこで、もう一方の絵像について尋ねてみると、「あれは観音菩薩だ。善信房（親鸞）ですよ」と言うではありませんか！

はっと驚いた恵信尼さまは、ここで目を覚ましました。あとで親鸞さまにこの夢の、法然聖人のことだけを聞いてみると「それは正夢だよ」と答え、いつものように嬉しそうに法然聖人と勢至菩薩の話を話してくれました。しかし「もう一つの絵像」については本人ですし、彼女は尋ねずに心の内にそっとしまっておいたのでした。

「このお方はただ人ではない」

そんな恵信尼さまの思いを決定づけたあの夢。今こそ娘に、父の生きた「跡」と、この「夢」のことを伝えなくてはならない、そして父の臨終がどのようなものであったとしても、その「死」は紛れもなく「往生」なのだと伝えなくてはならない。墨をすりながら、そんな思いが心底からふつふつとわき起こってくると、恵信尼さまは、一心に手紙をしたため始めたのでした。

さて、このお手紙は「恵信尼消息」と呼ばれ現存しています。この手紙を受け取られた覚信尼さまは、その文面を通して、阿弥陀如来の慈悲の中で自己を「悪人」として頂き、念仏とともに生涯を歩み抜かれた父に出遇い、文面から滲み出る母のあたたかな思いに触れて、胸を熱くされ、深く感動されたにちがいありません。

■コラム■

善性と『御消息集』

善性（生没年不詳）の人物像についてはさまざまな説が伝えられています。彼に関して特に重要な事項は、親鸞聖人の手紙を集めた書物（御消息集）のひとつである『御消息集（善性本）』を編纂したということです。この本の表紙左上には「御消息集」とあり、左下には「釈善性」とあるので、総称としての「御消息集」と区別するために「善性本」と呼ばれています。

計七通の消息が収められていて、そのうち第七通が「善性本」にだけ伝えられている消息になります。高弟のひとり専信（専海）からの質問に対して、法然聖人から伝えられた「義なきがなかの義となり（自力のはからいがまじらないことを根本の法義とする）」（『註釈版』七九七頁）という教えの意味を明らかにしています。

高田の人々

高田門徒の本拠地である高田（真岡市）は現在の栃木県南東部にあります。茨城県中西部にある稲田（笠間市）との距離は現在の道で二十四キロメートルほどです。

高田門徒のリーダー真仏（一二〇九―一二五八）は下野の国司の子として生まれ、十七歳のときに剃髪して親鸞聖人の門弟となったと伝えられます。その娘婿と言われる顕智（一二二六―一三一〇）は真仏の跡を継いで、真仏や親鸞聖人が往生した後の念仏者集団で中心的な役割を果たしました。また覚信（生没年不詳）は、親鸞聖人に会うために上洛する途中で重病となるも、病をおして京都にたどり着き、聖人に看取られて、念仏を申しつつ往生を遂げた門弟です。聖人は、彼の往生をひときわ深い感慨をもって受け止めました。

嘉禄の法難

元仁元年の三年後の嘉禄三（一二二七）年には、京都の専修念仏にさらなる激しい弾圧が加えられました。発端は、天台宗の僧侶定照が『弾選択』を著して、法然聖人の『選択集』を批判したことでした。これに対して、親鸞聖人の尊敬する兄弟子であった隆寛律師が『顕選択』を著して反論すると、比叡山の衆徒が、法然聖人の墓を破却して、遺骸を川に流そうとしたのです。

辛うじて遺骸は門弟らによって別の場所に移されましたが、隆寛律師や、親鸞聖人の思想に影響を与えたとされる幸西大徳らが流罪となり、専修念仏は禁止、四十数名が逮捕され、さらに『選択集』の版木が焼かれるなど、専修念仏の門流は甚大なダメージを受けたのでした。

七高僧

親鸞聖人が浄土真宗の祖師として尊崇された七人の僧を言います。釈尊が教えを説かれて以降、各時代に、それぞれの地で真宗の教えを受け伝えられ、またそれぞれに真宗の教えの特徴を明らかにされてきた方々として、親鸞聖人は大変に尊敬されたのでした。

インドの龍樹菩薩（一五〇―二五〇頃）・天親（世親）菩薩（四、五世紀頃）、中国の曇鸞大師（四七六―五四二）・道綽禅師（五六二―六四五）・善導大師（六一三―六八一）、日本の源信和尚（九四二―一〇一七）・源空（法然）聖人（一一三三―一二一二）の、三国にわたる七名の方々です。この七名は「正信偈」の依釈段に連続して名前が登場し、また『高僧和讃』でも順番に親鸞聖人はそのお徳を讃えられています。「七高僧」という名は、その『高僧和讃』末尾に親鸞聖人ご自身が「以上、七高僧和讃」と述べておられることに由来します。

浄土真宗の本堂では、聖徳太子の絵像一幅と共に、この七高僧の絵像一幅が安置されています。それは蓮如上人の頃からそのように始まったと言われています。

『教行信証』の改訂

親鸞聖人真筆『教行信証』（坂東本。本書一〇五頁参照）の成立研究において大きな成果を上げたのが、国文学者の重見一行氏です（『教行信証の研究――その成立過程の文献学的考察』法藏館）。

坂東本には、部分的な修正や、数ページにわたる差し替え・書き改め等、改訂の跡が随所にあります。重見氏は筆跡や諸本の比較等の緻密な検証に基づいて、それぞれの箇所が聖人が何歳頃に書かれたものであるかを推定しました。最も後に書かれた箇所としては、

「行文類」の、冒頭から「易行品」引文の途中（『註釈版』一五一頁末）までの箇所（八十四歳頃）、「証文類」「真仏土文類」の外題（八十六歳頃）が指摘されています。一方で、内容の変更を伴う大きな改訂は、七十五歳頃までに完了していただろうとされています。

熊谷直実

■熊谷直実とは

源平合戦でかずかずの武功を立てた熊谷次郎直実。

「驕れる人も久しからず。ただ春の夜の夢の如し」（『平家物語』）

――栄華を誇った平家は敗れ、源氏の政権がうぶ声をあげた頃、彼はおびただしい殺戮の記憶と、打算に満ちた人間社会にすっかり疲弊しきっていました。思っていたものとはまるで違っていたその社会に対する耐えがたいむなしさや戸惑い、そして数々の後悔の念は、やがて彼の中で大きな怒りとなって爆発しました。

しばらくは行く当てもなく、彼はさまよっていました。それは漆黒の闇の中を方向も分からず、ひたすら歩み続けるような不安な日々であったに違いありません。そんな直実は、いつしか仏門へと導かれていきました。武士をやめて仏門に入った彼は、やがて法然聖人のもとへたどり着きます。そこで聞いた教えに感動して、彼は法然聖人の門下となったのですが、ひと筋縄ではいきません。なんといっても、この男、凶暴につき……。

※直実の生没年には諸説があり、『註釈版』では（一一四一―一二〇八）と示してありますが、ここでは一二〇七年往生説を採用しています。

平等の社会をもとめて

時は平安時代の末。すっかり貴族化した平家一族は、広大な荘園と日宋貿易とによって史上空前の富を形成し、京にてまさに我が世の春を謳歌していました。「平家にあらずは人にあらず」との言葉まで飛び出したこの頃、とおく伊豆（現・静岡県）の地で沈黙の時代を過ごした源頼朝は、ついに平家打倒に立ち上がりました。そして諸国に対して、自分と結べば御家人として、戦場での活躍に応じて「平等に」恩賞を与えると呼びかけたのでした。それまでの社会に少なからず不満を抱えていた武士たちは、かつてないその魅力的な方針に次々と合流しはじめ、大同団結して平家を追い立て、ついに元暦二（文治元、一一八五）年、壇ノ浦（現・山口県）で滅ぼしたわけです。この源氏の大躍進劇で主役を演じたのは、「牛若丸」でおなじみの源義経でしょうが、彼に帯同して、一人の男がかずかずの武功を立てていきます。その男の名は、熊谷次郎直実といいました。

直実は合戦の中でめざましい活躍を果たしていきますが、ある出来事が彼の心に深く大きな傷を残しました。それは、直実四十三歳の寿永三（一一八四）年二月、かの一ノ谷（現・兵庫県）の戦い*で、源氏の勝利が決定的になった状況の中、少しでも多くの武功を取ろうと、われ先にと平家を追撃していた時のことです。直実は、海岸を馬に乗って逃げようとする、いかにも高貴な身なりの武将を見つけ、興奮します。大声をはりあげ扇をふって呼びかえすと、勇敢にもひるがえって向かってくるではありませんか。直実は迎え撃つと、一瞬で組み伏せてしまい、首を取ろうと敵の兜を上げました。見ると、その武将は我が子と変わらない十五、六歳（数えで十六、七歳）ほどの少年でした。この少年へ名を尋ねましたが彼は答えません。そればかりか、みずからの首を持って帰れば、そなたの大きな武功となるだろうと、この期に及んでも毅然とした態度を崩しません。「もはや勝敗に影響はない。この若者をどうしようか」。数々の武勇でならしたこの男がめずらしく逡巡します。しかしその時、背後から味方の軍勢が押し寄せてきたのです。

彼は決断しました。少年に対し、涙をためて「逃がしてさし上げたいが、もはや逃げ切れますまい。ならば私が討ち取って供養いたそう」と伝え、殺めたのです。この少年は、かの平清盛の甥御にあたる敦盛でした。あれほどに望んだ大きな武功でしたが、この時の罪悪感が、彼をながく苦しめ続けることになります。

その後、待望の源氏による新政権が誕生しましたが、直実はなじめず、もがいていました。

文治三（一一八七）年、鎌倉幕府の公式行事で行われた鶴岡八幡宮の放生会の流鏑馬の時のこと。頼朝は、直実に対して乗馬した射手が射る的の交換役（的立役）を命じました。ところが、彼はこれに納得できません。御家人はみな平等のはずなのに、馬上の射手に対し、徒歩の的立役では優劣が歴然としているではないかというのです。頼朝自身が説得にあたっても直実は納得しませんでした。結果として、彼はこの件で所領を大きく没収されてしまうのでした。

さらに数年後、今度はその残った所領の境界をめぐって叔父の久下直光と争いになり、頼朝の御前で訴訟となります。元来、口よりも武勇でならした彼は、こういう場がすこぶる苦手でした。すぐに追い詰められてゆき、いよいよ進退窮まったその時、彼はついに爆発したのでした。突然立ち上がると、この訴訟は久下が仕組んだ茶番だ、だから自分ばかりがこう責められるのだ、結果は見えているではないか、とわめき散らすと、大切な証拠文書もその場で破り捨て、なんと頼朝に投げつけたのです。それでも怒りは収まらず、彼は詰め所で髻を切り落とすと、鎌倉を出奔してしまうのでした。

敦盛の一件をはじめ、何度も脳裏に浮かび上がるおびただしい殺人の記憶。平等をうたいつつも打算が透けて見える新しい政権への失望感。あれほど求めて得てきたものが、いつしか直実を窒息寸前に追い込んでいました。しばらく消息を絶っていた直実でしたが、やがて彼はすべてを脱ぎ捨て出家の道を志したのでした。

法然聖人と蓮生

その後、熊谷直実は「蓮生」と名乗っています。方々を五年くらいさまよった後に、伊豆の走湯山から、比叡山の唱導師（説教師）として高名な聖覚法印*（一一六七―一二三五）をたずねています。そこで事情を話すと法印から、法然聖人を紹介されたのでした。

法然聖人と蓮生。二人の出遇いは、一風かわっています。吉水の草庵にあらわれた蓮生は険しい顔で、一説には手に刀をにぎっていたといいます。そして法然聖人に面会するや、これまでの自分の苦悩について隠さず話し、自分はこれからどう歩めばよいのか。阿弥陀如来の仏道とは、自分のような者が歩むことを許される道なのかと、彼は真剣に尋ねたのです。

すると、聖人はただこれだけを言われました。

罪の軽重をいはず。ただ念仏だにも申せば往生するなり。別の様なし。（『法然上人伝全集』一六六頁）

（これまで犯してきた罪の軽重は問題にはなりません。ただ阿弥陀如来が本願に選びたもうた念仏さえ申すなら往生していくのです。他に何か必要ということはないのです）

その言葉を聞くなり、蓮生の大きな目から涙がこぼれ始めました。しばらく黙って見ていらっしゃった法然聖人が、どうして泣くのかと尋ねると、彼は「罪の深い人間だから手足を切り捨てれば助かるというのなら、自分は今すぐにでもそうしようと思っていました。しかしただ念仏さえ申せば救われていくという如来の慈悲が有り難く……」といい、刀を放したのでした。彼の苦悩を溶かしたのは、救いの対価を何も求めない、打算なき如来の慈悲のあたたかさでした。彼はこれから念仏の道をまっすぐに歩んでいくことを心に決めたのでした。

しかしながらこの男、少しまっすぐ過ぎるというか、やはり普通とは違っていました。こんな逸話が残っています。

当時の朝廷随一の知恵者、九条兼実は法然聖人を大変に尊敬していました。だから何度も住まいの月輪殿に呼び寄せては仏教談義に花を咲かせていました。ある日のこと、法然聖人が月輪殿に向かおうとすると、蓮生がそこでの説法を聞きたがり、どうしてもついて行くと言うのです。聖人が仕方なく連れて行き靴脱ぎ場のあたりに待たせ、兼実と話していると、およそ場にそぐわない大声が響いてきました。

あはれ。穢土ほどに口おしき所あらじ。極楽にはかかる差別はあるまじきものを、談儀の御こえもきこえばこそ（『法然上人伝全集』一六七頁）

（ああ。この穢土ほど口惜しい世界はないよ。極楽にはこんな違いはないのに。談義のお声だって聞こえただろうに）

「あれは？」と問うた兼実に、聖人が恥ずかしそうに説明すると、「あげておやりなさい」とのこと。蓮生は入って来るなり、兼実には挨拶もなく、法然聖人の話に聞き入って満足していたそうです。

こういう人ですから、他の弟子との軋轢も多かったようで、法然聖人が蓮生に宛てた、珍しいお叱りの手紙が残っています。要約しますと次の通り。

「あなたのその粗暴な気性は京都中、御所にまで及んでいます。是非とも直した方がいいですね。その性格でも往生はできるでしょうが、私がいなくなれば、仲間とはきっと仲違いするでしょう。念仏が手ぬるいとかいって（仲間を）縛って叩いたというのは何の真似ですか。…中略…それに私が勢観房に渡した金色の名号が、あまりに欲しいからといって無理やり奪っておいて、これは罪になるのかと訊いてきましたけど、（往生をさまたげる）罪にならないとしても、人のものを奪っていいわけがないでしょう。それはやっぱり大きな罪ですよ。早く返しなさい。名号は書いてあげたから。ただ金色にする時間はなかったので墨書のものだがね」（「真如堂縁起」、『大日本仏教全書』第一一七巻、三二七頁。筆者意訳）

ちなみに、蓮生は同じ法然聖人の門下として親鸞聖人とも交流があったようで、あの有名な「信行両座」（『註釈版』一〇四八頁）のエピソード*に登場しています。ほとんどの門弟が信不退と行不退とのどちらの座に着くか決めかねていた中、親鸞聖人をふくめて信不退の座に進んだのは、門下の長老格法蓮房（信空上人）、そして聖覚法印と、彼が導いた蓮生のわずか四名でした。ちなみにこの時、蓮生は遅参してきたので、『親鸞聖人伝絵』では縁側で苦笑いしている姿で描かれています。しかし彼は趣向を確認するとただちに信不退の座へ向かったようですから、法義の理解は正確だったのでしょう。あるいは、たんに聖覚法印がそちらにいたからかもしれませんが。

そんな彼も京都から東国へ帰る日が来ました。彼は馬の背の鞍を反対向きに据え付けると、なんとそのまま逆向きに騎乗し、みなに別れを告げて帰っていったといいます。東国へ帰るのにそのまま騎乗すれば、かの西方におられる阿弥陀如来さまに背を向けて帰ることになる。それではたいへんに礼を失することになるというのです。彼にとっては、しごく当然の振る舞いだったのでしょうが、人びとは最後までそのユーモラスなすがたに彼らしさを感じると共に、どこか感動を覚えたのでした。

往生の予告

晩年の蓮生は武蔵国にいました。ずいぶんと多くの人に阿弥陀如来の慈悲を伝えていったそうですが、いつしか彼は上品上生の往生を願うようになります。上品上生の往生とは『観無量寿経』に示される九種類（九品）の往生のなかで最上級のものです（『註釈版』一〇八頁）。言うまでもなくたいへん厳しい道ですが、発願して以後、彼ひとりは達成することを確信していたそうです。

さてこの上品上生の往生を遂げるには、当時、往生する日の予告が必要だと考えられていました。そこで彼はわざわざ高札をたて、建永二（一二〇七）年二月九日にその往生を遂げると予告します。これは多くの注目を集め、相当な人数が集ってきたそうです。当日、彼は身を調えその準備に入りました。が、予兆がないとみるや、さっさと「やはり九月四日にする」と撤回し、延期したのです。人びとはおおいに笑い、共にいた妻子は「面目ない」と恥ずかしがったのですが、彼は構いませんでした。果たして九月四日、彼は、往生を遂げていきました。六十七歳でした。

この九品の往生に関しては、法然聖人も親鸞聖人も、阿弥陀如来の浄土にはそのような区別はないと否定されています。特に親鸞聖人は、浄土に生まれたその瞬間に誰もが最高のさとりに達して人々を救済すべくはたらき続けるのだと強調されていますから、浄土真宗では用いない領解です*。ご注意ください。

しかし、なぜ蓮生がここまで上品上生にこだわったのか。それは本当に功名心からではなかったようで、自身でこう述べています。

一切の有縁の衆生、一人ものこさず来迎せん。無縁の衆生までも、おもひをかけてとぶらはむがために、蓮生、上品上生にうまれん（『法然上人伝全集』一六八頁）

（すべての縁のあった衆生を一人も残さず浄土へと迎えてやりたい。縁のなかった人にも思いをかけ助けたい。そのために私蓮生は上品上生の往生をはたしたい）

彼は人間社会に生きづらさを感じ、多くの人を殺めた自分の過去に苦悩し、行く末を必堕地獄と恐れ生きていました。しかし彼は法然聖人に出遇ったことで大転換を遂げて救われ、最後は自分のみならずすべての人々の救済を真に願っていたのです。強すぎる個性が目をひきますが、彼もまた尊い念仏者であったといえましょう。

■コラム■

一ノ谷の戦い

一ノ谷は現在の神戸市須磨区にあります。都落ちした平家が入京を狙い陣を構えていた所、源氏が二方面から攻撃し、別働隊を率いた源義経は「鵯越の逆落とし」と呼ばれる奇襲で平家を大混乱に陥れたと伝えられています。この戦いで平家は壊滅的な打撃を受け、一族が多数戦死。

平家きっての名将平重衡は捕虜となり、かつて行った南都焼き討ちの報復として処刑されました。『平家物語』には、囚われた重衡が法然聖人と対面し、極悪人がただ念仏によって往生する道を説かれ、救われてゆく場面が描かれています。

聖覚法印

祖父は後白河天皇のもとで辣腕をふるった藤原通憲（信西）。父は説教の名人として知られる安居院流唱導の祖・澄憲。聖覚法印も天台を学び、安居院流の唱導師として活躍しましたが、後に法然聖人の門下に入り、聖人の信頼厚い高弟として大きな影響を残しました。

親鸞聖人もこの兄弟子を深く尊敬し、法印の著書『唯信鈔』を何度も書写して門弟に送り、熟読を勧めています。またそればかりかその註釈書である『唯信鈔文意』を自ら著し、奥深い法義を丁寧に説き明かしていきました。『唯信鈔』『唯信鈔文意』ともに、親鸞聖人の真筆が多く現存しています。

信行両座

『御伝鈔』には、法然門下時代の親鸞聖人が、同門の人々の信心のありようを知りたいと法然聖人に相談し、「信不退」「行不退」の二つの立場を設定して、どちらかを皆に選んでもらおうと試みたことが伝えられています。

「信不退」とは、浄土往生が定まる（不退転の位に住する）のは信を得たときとする立場です。いっぽう「行不退」とは、念仏をはげみ功徳が身に備わることで往生が定まるという立場です。多くの門弟方は意味がよくわからず黙って見ているばかりであったところ、最後は、法然聖人が信不退の座を選んで決着となりました。念仏往生の法義とは「信心正因」であるということを伝えるエピソードです。

九品往生

『観無量寿経』では、行為の善し悪しに基づいて衆生を上品上生から下品下生まで、上中下×上中下の九種類（九品）に分類し、それぞれの衆生がどのように往生するのかを説いています。

しかしそれは、人それぞれの行為に応じて往生する自力の往生であり、生まれてゆく浄土もまた、人それぞれに異なる、真実ではない浄土でした。

親鸞聖人は『教行信証』「信文類」で「大願清浄の報土には品位階次をいはず、一念須臾のあひだに、すみやかに疾く無上正真道を超証す」（『註釈版』二五四頁）と述べ、区別や段階を超えて、誰もが本願力によって等しく最高のさとりに達することができるのが真実の浄土往生であると示しています。

弁円

■弁円とは

古来、人々と共に在り続けた「山」。無限の生命を抱え込み、その膨大なる力を壮麗な姿全体にたたえた圧倒的な存在感。分け入れば日中でもほの暗く、真夏でもひんやり。繁茂する巨木に散在する巨岩。草いきれと土いきれの臭気を風が運んで葉がさざめき、遠く鳥獣の声。五感すべてを刺激するその異空間に人はおのずと霊性を覚え、畏怖せずにはいられませんでした。

そうした山の霊性に対する思いがいつしか宗教を生み出し、仏教を土台にして融合し、日本独自に育まれたのが山伏の宗教、修験道です。

時は鎌倉時代。常陸国で活動していた山伏の頭領、弁円（?—一二五一）。真摯に修験の道を歩んでいたこの頭領でしたが、彼はその土地を訪れた新参者「親鸞」について知り、錯綜する情報をもとに激怒して、殺害を思い立つのでした。

しかし彼は、はじめ害心を抱いたその希代の宗教家との出遇いを経て、劇的に人生を変化させることになります。そこには異なる道を歩みながらも、真摯に仏道を全うしようとする者なら誰しも感じる共通したジレンマがあったのでした。

山伏の違和感

「おかしい。絶対におかしい」

村からの帰り、山伏は憤っていました。男はこれまで病気に悩む村人や不幸の続く家があれば、そのつど邪気を払いに祈禱に出向きました。毎年、近在の村の無病息災を願って護摩も焚いていますし、日常に疲れ将来を悲観する者には霊符を授け、時には山修行を勧め、手ほどきもしてきたのです。ところが……。

最近の村人の、あのよそよそしい態度は何だ。挙げ句の果てに、もごもごと何を言い出すかと思えば布施の減額など願い出おって。訊けば念仏が何たらかんたらと意味不明なことを言いおるし。

ぶつぶつ言いながら慣れた山道を早足で帰るこの男の名は弁円。*

ここ何年か、仲間内でそれとなく話題にのぼっていた村人の変化。弁円もあたり一帯を広く治める山伏の頭領として仲間からそのことは聞いていましたし、確かに自分でも感じる部分もありました。しかしその違和感が確信に変わったこの日。彼は楢原谷（現・茨城県常陸大宮市）の寺へ戻ってくるや、このことを仲間に打ち明けると、一人が真相を知っていると言って気になることを語りました。

「どんな者でも念仏一つで往生する道があるとか言うて広めとる者がおるそうな」

弁円が詳しく聞かせるように言うと、仲間は次のように語って聞かせました。

――数年前から稲田（現・茨城県笠間市稲田）に草庵を結んでおる僧でな。なんでもかつては流罪にされとったそうな。しかし今やその「念仏一つ」の教えを方々で説いてまわって、これがすこぶる評判がええ。どんな無学でも、漁猟で殺生を重ねる者でも構わん、出家も在家も関係ないと言うておるらしい。糅てて加えて、こやつがまた経典やら何やらよう知っとるそうで、話もうまいらしいし、近隣の者たちの悩みを辛抱づよく聞いてやっておるんだと。

聞いているだけで業腹な様子の弁円が名を尋ねると、仲間は「たしか、親鸞」とつぶやき、聞き捨てならないことを言いました。「修験は仏道にあらずと言うておるらしい*」。

この一言で弁円の理性は決壊しました。さながら天狗のような形相になり「おのれ、許さん。あやしげな罪人ごときが。修験をあしざまに」と吠えると、仲間も頭に血がのぼって場は沸騰しました。「修験を護る」という大義は彼らをいっそう興奮させ、破法の悪魔はこの地を出て行かせるだけでは足りない。葬り去るべしと結論したのでした。

板敷山にて

山伏たちが一帯に張り巡らした情報網。稲田に住む「親鸞」の情報を集めるのは造作もないことでした。この男は最近ほぼ毎日、板敷山を通って鹿島神宮へ経典を閲覧しに行っていると言います。弁円は弓矢を手に、仲間の行者を連れて板敷山で待ち伏せることにしました。ところが、いくら待ってもその男らしき僧は通りません。「他に街道はないが」「今日は違ったか」。色々と思いを巡らし待ちましたが、結局男は現れませんでした。次の日、改めて弁円は仲間と出向きましたが、やはり男は現れません。その翌日も、その翌日も現れませんでした。弁円は大いに訝しみました。「情報が漏れたか。はたまた我々に気づき術でも用いて身を隠したか」。前者は彼の率いる山伏集団の結束力からして考えにくい。となると後者。しかし我々の上をいく神通力を持つというのか……。

破法のペテン師か、強力な力を操る怪僧か。弁円の頭は次第に「親鸞」という男のことで占領されてゆき、彼はついに稲田を直々に訪ねてみることにしたのでした。

稲田の会談

　稲田の草庵。門前に立つ弓矢を手にした柿色衣に黒頭巾姿の山伏。弁円が到着すると、庭先で何人か子どもがきゃっきゃと走りまわって遊んでいました。その時、ふと気配を感じて足下を見おろすと、一人のおさな子が見上げています。弁円は不覚にも気づきませんでした。するとその子はキラキラと顔を輝かせて「おじちゃん、強い?」と訊いてきます。弁円が「ほれ、あっちへ行っておれ」と言うと、「こわーい」と笑いながら他の子たちのもとへ走って行きました。

　弁円は咳払いを一つすると、あらためて「頼もう。親鸞殿はおわすかぁ」とドスのきいた大声で呼びかけました。しばらくの静寂の後、奥で物音がしたかと思うと「おるよ。ちょっと待ってや」と拍子抜けするような朗らかな声。やがて縁側へ男が現れました。五十歳くらいの僧で、鹿杖をついてよたよたとしていますが、近づいてくるとずいぶん日に焼けた精悍な顔をしており、身体もよくしまっています。その僧は初対面にもかかわらず少し恥ずかしそうに「この前へマして、あっこの板敷山で足をひねってしもうての。治るまで家に籠っておる」と人なつっこい顔で笑っています。*「これが親鸞か」。弁円は内心驚いていました。僧は少しだけ強い眼差しを弁円へ向けると「お主、初めて会うな」と語り、「まあ、よう来られた。ご覧の通りで、ここには何もないが、時間だけはなんぼでもある。わしは逃げも隠れもせん。さあ、お上がり」と、こちらの心中を見透かしたように言います。弁円は感心していました。

「この男、なかなかどうして。弓矢を持って突然来訪したわしを恐れておらん。腹が据わっておるわ」

弁円はペースを掴めぬまま、いったん弓矢は外に置き、「邪魔する」とだけ言って縁側から上がりました。すると奥から「まあ」と声を上げ、女性が急ぎ近づいてくると、「殿(との)！ご来客ならば事前にと、あれほど言っておりますのに」と小声で言うや、弁円の方を振り返り「申し訳ありません。散らかしております」と恥ずかしそうに言います。よく見ればこのような田舎では珍しいほど品格の備わった美しい女性です。「この男、妻子がおるか」と弁円は驚きました。しかし不思議と腹は立たず、むしろ何も隠そうとしない、あっけらかんとした僧の態度に好感をもったのでした。ちなみにこの女性こそ恵信尼(えしんに)さまです。

外からは部屋の中は暗くて分かりませんでしたが、入ってみると座敷には弟子とおぼしき者が二人ほどいて、すでに弁円に緊張した表情で視線を送ってきています。弁円もどっかと荷をおろすや、座って厳しくにらみ返します。場が張り詰めたその時、外から不意に「ぷい～ん、ぴ～ん」と奇妙な音が響きました。一同が驚き振り向くと、なんと先ほどの子が、今度は弓の弦（つる）を指で弾いています。視線に気づいたその子は「これ貸してえ」とねだり顔。僧が「有房（ありふさ）（後の益方入道（ますかたにゅうどう））。あかんよ、勝手に触ったら。あっちでみんなと遊んどき」と優しく叱ると、「はあい」と残念そうに出て行きました。

静かになると、僧は今までと打って変わった真剣な面差（おもざ）しで「お主、わしを殺しにきたか」と切り出しました。弁円は硬直したまま僧を見つめ続けています。「その身なりは修験。修験と言えば祈禱。確かにそういう道もある。しかし、わしの師は法然（ほうねん）さまというがな、そのお方はこんなことを申されておった」。僧は郷愁をはらんだ遠い目をしてこう言いました。「〈いのるによりて病もやみ、いのちものぶる事あらば、たれかは一人として病み死ぬる人あらん〉とな」。僧は続けます。「人間はどう生きた所で老・病・死は必定（ひつじょう）。しかれば釈迦如来（しゃかにょらい）の説かれる〈生死出（しょうじい）づべき道（みち）〉とは畢竟（ひっきょう）、我がいのちの実相（じっそう）（真実のすがた）を知らせ、しかもそこに意味を見いださせる智慧（ちえ）を獲得していく道であろう、違うかの」。射貫（いぬ）くような目で熱く語る僧の言葉に引きつけられ、今や弁円の敵がい心は不思議と消え失せていました。

僧はさらに問いかけます。「お主に訊きたい。お主はこれまでの歩みでそれをわずかでも得たか。間に合うか、本当にその道で。鍛錬して得た祈禱で、どうやっても救うてやれんかった者、その者たちのこと、今どう思っておる」。

――救うてやれんかった者。この言葉が心に鋭く突き刺さって弁円を揺さぶりました。

「昔はそのことばかり考えていたのに」

彼はこの時、いつしかそのことを心の奥底に隠し込み、しょうがないと見て見ぬふりをしていた自分と向き合っていました。そしてこんなことを正面からまっすぐ問うてくるこの僧もまた、悩み苦しみながら本気で仏道を歩んできた者に違いないと思いました。

――黙したままの二人。やがて目の前の僧は、絞り出すようにかすれた声でこう言いました。「わしは、どうしてもできんかったな。比叡山（ひえいざん）ではいずれの行も中途半端で落ちこぼれた。どんなに気の毒だと思うてみても、最後は自分を優先した……」。弁円は、絞り出すようにこう述べた僧の、いかんとも形容しがたい表情を見た時、どうしようもなく内からこみ上げてきた熱いものが、涙となってこぼれました。＊僧は言いました。「あの道はこんな生き方しかできんわしの成仏道（じょうぶつどう）ではなかった。しかしわしは、その智慧を与えんとして立ち上がられた阿弥陀如来（あみだにょらい）の本願（ほんがん）に、遇（あ）いがたき真の成仏道にすでにして出遇った」。弁円は仲間が

「修験は仏道にあらずと言うておるらしい」といったのも、おそらくはこの意味かと得心しました。ここで彼は手をつき言いました。「それがしは、お主がもし仏道を汚すふざけた者なら、すぐにでもあの弓矢で串刺しにしようと思って参った。しかし今は、あなたの説く法を猛烈に聞いてみたい、どうか説いてくださらんか。親鸞さま」。

二人は時を忘れて語らいました。「この場合はどうなります」「なぜそう言えますする」。親鸞聖人は問い続ける弁円に、柔らかな物腰で、時に同調し、時にきっぱりと否定しながら、仏道とは何か、浄土真宗とは何かを何度でも話して聞かせました。聖人の口から丁寧に紡がれた言葉は弁円の心にしみこんでゆき、いつしか彼を、他力の慈悲があたたかく包み込んでいました。どれほど話した頃でしょうか。弁円は、やおら山伏の装束を脱ぎ、持参した弓矢を取ってくると、それをへし折り「修験は捨てる」と告げました。彼はその後、親鸞聖人から「明法房」という名を頂戴し、念仏者として生涯を送ったのでした。

明法房のその後

弁円こと明法房。彼のその後の姿は伝わっていません。わかっているのは、親鸞聖人が七十九歳となられた建長三（一二五一）年に、彼が往生を遂げたということです。そのことを上京した明教房という門弟から詳しく聞いた聖人は、消息に「かへすがへすうれしく候ふ」（『註釈版』七三八頁）と書き記しています。

明法房の往生に触れた親鸞聖人の消息は四通伝わっていますが、どの消息でも念仏に対する誤った理解に気をつけるように述べられているのが印象的です。「明法房が往生を遂げたのも、もともと持っていた念仏に対する誤った考えを改めたからだ」（『註釈版』七四三頁。意訳）と記されているところは、弁円の回心が語り草になっていたことを窺わせます。また「明法房の往生のことを聞きながら、その遺志をおろそかにするような人々は、念仏の仲間ではない」（『註釈版』七四五頁。意訳）ともありますから、その後の弁円は、誤った念仏理解に対しておそらく厳格に臨んでいたのでしょう。こうした親鸞聖人の記述から、弁円の「その後」を想像すると、楽しくもあり有り難くもあります。

希代の宗教者親鸞聖人の殺害まで思い立ちつつ、大転換を遂げた弁円。その激しくも真摯に仏道に邁進した生き様は、今なお人々を魅了してやみません。

■コラム■

限られた史料の中から

山伏弁円が親鸞聖人の門弟となったいきさつを伝える主たる史料は、覚如上人による絵巻物『親鸞伝絵』ですが、具体的なことは記されていません。よく知られた「弁円」という名前も、『親鸞伝絵』には示されておらず、実は江戸時代以降に出てきたと考えられています。

そのような事情ですのでこの章は、『親鸞伝絵』の詞書（『御伝鈔』）や図絵だけではわからないことは、想像で補いながら物語をつなげております。『親鸞伝絵』と見比べながら読んでいただくと、よりお楽しみいただけることと思います。

修験道と仏教

山伏の服装はいわゆる「お坊さん」とはずいぶん違っているということもあり、修験道は仏教とは違う宗教というイメージが強いかもしれません。ですが修験道における仏教は、習合した多様な信仰の中の一つというところにとどまらない重要性を持っています。本書の物語の弁円がそうであったように、これぞ真の仏道なりという確信のもと、命がけで自利他の行に励んでいたのが山伏という人びとであったのでしょう。

板敷山の真相？

『親鸞伝絵』の中で聖人は杖をついて山伏を出迎えています。確かに杖は聖人の象徴的な持ち物ではありますが、帰洛前、まだ壮健であったであろう聖人が、住居の中でわざわざ杖を使用するでしょうか。もしかしたら、聖人はこのとき怪我をしていたのかもしれない、だから板敷山の待ち伏せも避けられたのかもしれない。こう考えるとなんだか辻褄が合うような気がしてきませんか。もちろん、あくまでも想像ですが。

（図1＝『善信聖人絵』本願寺蔵）

山伏の涙

『御伝鈔』では、山伏が聖人と対面したところ「害心たちまちに消滅して、あまつさへ後悔の涙」（『註釈版』一〇五五頁）を流したとあります。この場面をどう描くかが、物語における最大のポイントであるといってよいでしょう。本書でも、草庵(そうあん)に上がり込んだあとの弁円が、表面的には一切言葉を発することのないままに、涙を流すという描写になっています。『親鸞伝絵』のこの場面では、打ち捨てられた山伏の装束(しょうぞく)、とりわけ真っ二つに折られた弓が、劇的な回心(えしん)を物語っています。

なお、真宗大谷派(しんしゅうおおたには)(東本願寺(ひがしほんがんじ))蔵『親鸞伝絵』では、同じ場面にあと二人の僧が描かれています。そこに着想を得てこの本文には、弁円とにらみ合う門弟二人を登場させています。

慈信房 善鸞

■慈信房善鸞とは

いつの世も偉大な父をもつ子どもというのは、たいてい苦労します。まして、その子が父と同じ道を歩むということになれば……。

このお話は、「親鸞聖人」を父親にもつ善鸞大徳（生没年不詳）が主人公。この方は、すでにご存じの方も多いでしょうが、五十歳を過ぎた頃、八十四歳の父、親鸞聖人から、親子として袂を分かつこと（義絶）を通告されてしまいます。なぜそこまでの事態に至ったのでしょうか。

そこには「親鸞」という希代の宗教者が父親であるが故の、一人の男の複雑な思いがもとになっていました。自尊心を守るためにふと口にした言葉が、大きな波紋を生み、彼は、門弟たちにも、親鸞聖人にも、懸命に辻褄合わせの虚言を重ねつづけていきます。

この事件はいまだに不明な点も多く、学者の中には事件の信憑性をいろいろと疑う方もいます。善鸞大徳に対する評価もわかれている部分もありますが、おおよそ次のような事件だったのではと考えています。

1　偉大な父の子

親鸞聖人、関東へ

建暦元（一二一一）年、十一月。越後では、肌を切り裂くような寒風が吹きすさぶこの頃、四十歳を目前にした親鸞聖人は流罪を赦免されました。が、そのわずかふた月後、京都におられた恩師法然聖人がご往生されたという知らせが届きました。これで、いまだ念仏弾圧の目が鋭く光る京都へわざわざ戻る理由はなくなりました。

あの「承元の法難」からもう五年ちかくが経っていました。思えば法然聖人という方は、いつでもお念仏されていました。そしてどんな人にも、阿弥陀如来が本願に選びたもうたお念仏こそ、万人にとっての「生死出づべき道」であることを、同じように説き続けられました。それは善導大師の有名なお言葉「自信教人信（みずから信じ、人を教えて信ぜしむ）」（『七祖篇註釈版』六七六頁・『註釈版』二六一頁、四一一頁）を、見事に体現してゆかれたお姿に他なりませんでした。

「自分もまた、少しでもあのように生きてこそ、師恩に報いることになろう」。親鸞聖人はこう見定められると、四十歳を過ぎた頃から、流罪の地越後を発たれ、徐々に南下して、関東へ向かわれたのでした。

関東では、常陸国稲田の草庵を拠点とされました。眼前にひろがる田畑と、雄大な山なみ。そして大地に這いつくばって日々のなりわいに出精する人たち。親鸞聖人は近づいていっては声をかけ、共に腰かけてはみずからの法座にいざない続けました。そうして集まった人々に、親鸞聖人が思いをのせて丁寧に紡いでゆく言葉は、その人格を通して、人々の心にしみいっていったのでした。

「親鸞は弟子一人ももたず候ふ」（『註釈版』八三五頁）。常々こう述べながら虚心に法義を語った親鸞聖人。出遇った人たちは、この方をこそ「師」と仰いで信頼を寄せていきました。

こうして聖人が壮年期のすべてを傾け、ゼロから始めた伝道の生活も、いつの間にか二十年の歳月が過ぎてゆきました。その間、各地に、門弟たちが道場をかまえ、そこに新たな人が出向くという形で、集団ができはじめました。中でも特に有力だったのが、真仏・顕智をリーダーとする下野の高田門徒と、性信をリーダーとする常陸の横曾根門徒という二つの集団でした。

念仏者の輪が、次第に力強く各地へ波及し始めました。これら念仏をよろこぶ人々の存在が、聖人にとって何よりのよろこびであったはずです。こうして一定の成果を確認すると、聖人は還暦を迎えられた頃、懐かしい京都へ戻ることを決断されたのでした。

横たわる大きな溝

ところで、京都にはおよそ二十年以上も離れて暮らしていた息子の善鸞大徳（ぜんらんだいとく）がいました。彼については、おそらく父が歩んだ越後から関東への道には帯同されず、何らかの事情によって京都におられたと考えられます。ですから、およそ三十歳前後となっていた彼は、この父の帰洛によって、はじめて親子らしい時間を過ごすことになりました。

もちろん、すぐに親子水入らずの時間を過ごすことにはならなかったでしょう。でも、ちょうど帰洛からほどない嘉禎（かてい）元（一二三五）年、善鸞大徳は「如信（にょしん）」という名の子を授かっています。この子の存在が、親子の距離を少しは近づけたのかもしれません。*

善鸞大徳からすれば、突然一緒に暮らすことになった父親は、あまりにも大きく、遠い存在でした。

関東から、ひっきりなしに門弟が父を訪ねてきては、父の語る教えに感動しているすがたを何度も目の当たりにしましたし、彼らからの手厚い経済的援助も続きました。一方の親鸞聖人も、わかりやすく書かれた書物を入手されたり、あるいは、ご自分で書物を執筆されたりすれば、労を惜しまず書写して、関東へ送って過ごされました。

善鸞大徳も一説には天台僧（てんだいそう）であったと言われます。もし、そうであるならば、易しい言葉で語られていますが、その奥にある父の学識の凄まじさと強靱（きょうじん）な思索力を理解したでしょうし、これまで聞いたことのない躍動的で、またあたたかな法義の迫力に圧倒されたはずです。そして、そんな父に憧れもしたでしょう。

しかし……。大徳からすれば、この人は、これまで自分の存在を忘れたかのように過ごしてきたのだという思いや、自分は、父と門弟たちとのやりとりを前にして、どうしていたらいいのか、という戸惑いもありました。

そうした日々の中で、彼はやがて、父のもと、わが子如信や門弟たちと共に他力（たりき）の法義についての研鑽（けんさん）を始めたのでした。善鸞大徳にとっては、その努力を重ねることだけが、自分と父親との間に横たわる大きな溝を少しずつ埋めていく作業のように思えたのでした。

混迷する関東

関東を去っておよそ二十年ちかくが経過した頃、親鸞聖人の心を悩ませる知らせがたびたび関東から寄せられました。他力の法義が、さまざまに誤って理解されているというのです。それは法然聖人の御在世の時から続いている「一念義(いちねんぎ)」と「多念義(たねんぎ)」の問題でした*（本書「善信房親鸞」篇参照）。双方共に根拠とする教説はあったのですが、いずれも極端な理解を生みだしてしまいました。

一念義系の考え方は、一度の念仏で、あるいは信じるだけですでに往生は決するという点から、一部の者の中には、その後の生活を「悪を造れども礙(さわり)なし（造悪無礙(ぞうあくむげ)）」と主張したり、在来の宗教における諸神(しょじん)・諸仏(しょぶつ)をさげすむなど過激な考え方に陥る場合があり、時に非常に危険な、反倫理的・反社会的集団を形成していました。

また多念義系の考え方は、多くの念仏の実践を説くあまり、「賢く善くつとめはげむ（賢善精進(けんぜんしょうじん)）」と評されるような、行者(ぎょうじゃ)の努力によって清浄なる浄土(じょうど)にふさわしい人徳の向上を重んじる考え方に陥りやすく、それは親鸞聖人が「自力(じりき)」と呼ばれた仏教そのものでした。

そして混乱に拍車をかけたのは、親鸞聖人の直弟子を自称するあやしげな者たちの存在でした。たとえば常陸には、教えをよく知りもしないのに造悪無礙の教えを説いては人を混乱させていた信見房（しんけんぼう）という者がいました。また、親鸞聖人とまったく会ったこともないのに、「自分は親鸞聖人にお会いして手紙のやりとりもしているし、そればかりか聖人から聖覚法印（せいかくほういん）の『唯信鈔（ゆいしんしょう）』を頂戴した」と吹聴していた哀愍房（あいみんぼう）という者もいました。親鸞聖人はこの『唯信鈔』を確認して、全くの偽物であり「火にやき候ふべし」と言われています。こうしたあやしげな者たちとともに各地を混乱させていた極端な理解が存在し、一方で聖人の説かれた教えを正確に受け継ぐ者たちの存在がありました。いまや関東では、それぞれが各地に道場をかまえ、複雑な三つ巴（みつどもえ）を形成して互いを非難しあっていました。

親鸞聖人はすでに齢（よわい）八十を数えていました。みずからが向かえば事態の収束には近道なのでしょうが、もはや、かつてのように関東へ出向いて歩き回る体力はありません。かといって門弟たちが寄せる断片的で矛盾した情報では、実状はわからず、歯がゆさが募ります。この時、おそらく聖人が何よりもまず欲したのは、関東の正確な情報だったと思われます。それに基づいて、自分の意思を高田門徒の真仏や顕智、あるいは横曾根門徒の性信といった信頼のおけるリーダーたちへ伝えて連携し、事態を沈静化させようと思われたようです。

そうした時、各集団と接触をはかって正確な情報を収集しようとすれば、すでに対立関係にある関東の当事者ではなく、第三者的な立場の人物が必要になってきます。もちろん、その人物には本願念仏に関する最低限の教学的理解がなければなりません。これに該当するのは、聖人のもとには善鸞大徳以外にいませんでした。あるいは、大徳みずからが名のり出たのかもしれません。いずれにしても親鸞聖人は、彼を使者として関東へ派遣したのでした。

父のように

善鸞大徳は、すでに五十歳前後に達していました。彼は与えられた立場も難しい役割も理解していたでしょうが、彼の意識としては、「関東側は、自分をやはり父親鸞の名代（代理）として迎えるだろうし、自分が解決まで運ぼう」という思いがあったようです。しかしながら、親鸞聖人は後に出される義絶状に、

慈信（善鸞）ほどのものの申すことに、常陸・下野の念仏者の、みな御こころどものうかれて……（『註釈版』七五一頁）

〈慈信〈善鸞〉のようなものが言うことにそそのかされて、常陸の国や下野の国の念仏

者がみな動揺してしまい……）

とありますように、我が子の力量を冷静に見極められていましたから、そこまでを命じることはされなかったはずです。ただ善鸞大徳からすれば、父への複雑な思いからどうしても気負うものがあるのは致し方ない面もありました。

この微妙な父子の思いのズレがのちに決定的な亀裂を生みだしたのでした。彼は、父の直筆の名号（みょうごう）を所望すると、それを持参して関東へ向かいました。

さて、善鸞大徳が聖人の使者として関東へ入ると、まず接触をはかったのは一念義系の集団でした。彼らは、社会的に非常に危険な集団となっていたからです。そして大徳は、それらの門弟たちと対峙するうちに、どうも多念義的な、賢善精進を強調した法義を説いたようです。

たしかに、一方へ偏った理解に対し、それを正そうとすれば逆方向へ力をかけるのは当然です。しかしながら、適正位置へと正確に誘導するとなると相当に高度な理解が必要です。彼はあきらかに行き過ぎていました。関東の門弟たちからすれば、彼は聖人の「使者」ではあっても、決して「聖人の名代」たる指導者として受け入れたわけではありませんでした。善鸞大徳の説く言葉に対し、明らかな違和感を感じ始めた門弟たちは、露骨に反発し始めました。

その急先鋒に立ったのが横曾根門徒のリーダー性信でした*。彼は関東の門弟の中でも最古参の一人で、押しも押されもせぬ重鎮です。

善鸞大徳は、この性信という、本願念仏を深く理解し、また古くから父を知る門弟と対立を深めていく中、おそらく気圧され、窮地に追い込まれたのでしょう。彼は思わず、

「あなたは父の本意を知らないだけだ。私はそれを伝授されて、ここに来ているのだ」

と言い放ち、親鸞聖人が説いてもいないことを「父の言葉」であると偽ることで、性信たちを封じてしまったのでした。

実の息子が語る、この言葉の効果は絶大でした。上洛して父に向きあっていた時とはまるで違い、自分と距離をとり続け、時に攻撃的ですらあった門弟たちの態度に、それまでたびたび傷つけられてきた大徳は、彼らが沈黙するのをみて、おおいに溜飲を下げました。

しかし彼は、この言葉がどれほど重大な意味を持つのか、おそらく理解していなかったのでしょう。彼は、ふと気づけば、父とはずいぶんかけ離れた教えを、「父の教え」として説くようになっていました。もはや後戻りするのも難しかったようです。

彼はもう、その道を進むしかありませんでした。

■コラム■

如信上人の修学

善鸞大徳の子として、京都で生まれ育った如信上人。『最須敬重絵詞』によれば、その幼少時代はまさしく「おじいちゃん子」であったようです。親鸞聖人が書き物をしている時も、他の人に教えを説いている時も、いつも側にいて離れず、また自分からも積極的に聖人に質問をしていたと伝えられています（『聖典全書』四、四三三頁）。

如信上人は、親鸞聖人が比叡山で修行したように、他宗の寺院に入って修行したり仏教学を学んだりするということはありませんでした。若年期に聖人から直接聞いた教えひとすじに生涯を歩んだのです。やがてその教えは如信上人から親鸞聖人のひ孫覚如上人に伝授され、彼の存在は法然聖人、親鸞聖人からの教えの流れを覚如上人へつなぐ（三代伝持の血脈）という重要な意味を持つこととなりました。

一念多念と『一念多念文意』

法然聖人が生きておられた頃から、一念義と多念義の人々は互いに論争を繰り返していました。そうした状況に対して、親鸞聖人にとって法然門下の兄弟子にあたる隆寛律師は、

『一念多念分別事』を著し、一念に偏ったり、多念に偏ったりしてはならないことを説きました。

この書の意を受けて親鸞聖人が著されたのが、『一念多念文意』です。聖人は、念仏往生とは信心ひとつの救いであるという一貫した立場に立たれました。

性信の伝承

性信（一一八七―一二七五）は常陸国鹿島（現・茨城県鹿嶋市）の出身で、腕っ節が強く乱暴であったため、「悪五郎」とも呼ばれていました。十八歳のとき、熊野参詣をきっかけに京都を訪れ、たまたま吉水の草庵で法然聖人の教えを聞き、その場で門弟となりました。親鸞聖人とはこの法然門下以来の間柄で、越後・関東と、常に行動を共にしてきました（本書「善信房親鸞」篇「4 教えに生きる」参照）。

親鸞聖人の帰洛にも同行しますが、箱根までやってきたところで聖人から関東の後事を託され、常陸国へ引き返したという伝承はことに有名です。この時に性信が聖人から譲り受けたのが、性信を開基とする坂東報恩寺に伝えられてきた、現存する唯一の親鸞聖人真筆の『教行信証』、すなわち坂東本であったと言われています。

獅子身中の虫

> まさか、という信じがたい内容の報告でした。善鸞大徳は、信願房などの親鸞聖人がよく知る門弟たちこそ、造悪無礙の徒であると手紙で伝えてきたのです。親鸞聖人は、
>
> 信願房が、凡夫であるからには悪いのが本来の姿であるといって、思ってはならないことを好んで思い、してはならないことをし、いってはならないことをいうのがよいなどといっているとのことですが、とても信願房の言葉とは思えません。(『親鸞聖人御消息　恵信尼消息(現代語版)』九〇頁)

と、旧知の門弟の変貌ぶりを知らせる報告に、驚きをもって返信しています。

これはもちろん、善鸞大徳が自分の立場の保全をはかり、抵抗勢力を門徒集団から分離するためにおこなった偽りの報告でした。中では、横曾根門徒のリーダー性信についても、何かしら批判的な内容が書かれていたようです。聖人は同じ返信の中で、

> 入信房や真浄房や法信房にも、この手紙を読み聞かせてください。何とも心の痛むこ

とです。性信房には、春に京都に来られた時、十分にいいました。…中略…これらの人々が間違ったことをいいあっているからといって、仏法の道理まで失ってはおられないと思います。…中略…仏法者自身が仏法を滅ぼすことをたとえて、「獅子の体の中にいる虫が、獅子をむしばむようなものである」と説かれているのです。このように、念仏者の邪魔をしてさまたげるのは仏法者なのです。（『親鸞聖人御消息　恵信尼消息（現代語版）』九二頁）

と述べられ、「間違ったことをいいあっている」人たちのことを、念仏の教えを内から破壊する「獅子身中の虫」*である、ときわめて強い言葉で手紙を結んでおられます。

おそらくこの手紙は、善鸞大徳が関東の門弟たちと対立を深めていた頃のもので、まだ偽りの「父の言葉」を言い放つ前のものかと思われますが、すでに両者の軋轢が深刻であることがうかがえます。この中で親鸞聖人は、あの性信にも上洛の際に十分に伝えたと言われていますが、性信は、善鸞大徳に対して感じる強烈な違和感を、実の父親である聖人にはたしてどこまで伝えることができたでしょうか。もはや明らかに、何かが大きく狂い始めています。聖人の心は不安でいっぱいでした。

ところで善鸞大徳が偽りの「父の言葉」を騙り、関東がいっそう動揺し始めた頃の門弟と親鸞聖人との対話の記録が、あの『歎異抄』第二条ではないかと思われます（『註釈版』八三二頁）。さまざまな情報が飛び交い動揺する関東。中には親鸞聖人の「二枚舌」を疑う者まで出てくる中、複雑な思いを抱え、一部の門弟たちはついに命がけで京都にまでやって来たのでしょう。あの場面での聖人の言葉は凄まじい迫力に満ちていますが、そのなかで聖人は門弟に対し、こう告げています。「もし〈念仏以外の道〉を知りたいというのなら、奈良や比叡山の学僧に会いに行けば良い」と。そして師弟を超えた一人の念仏者として、法然聖人から頂戴した自分の受け止めはこれですべてだと語り尽くされ、最後にはあなた方がこれから念仏を頂戴して生きようが、捨てようが「面々の御はからひなり」と言い切っておられます。しかしながら、聖人の不安は最高潮に達したはずです。なぜ門弟たちが「念仏よりほかに往生の道」などといってはるばる上洛までしてきたのか。

「獅子身中の虫。あるいは善鸞か……」

聖人の脳裏に、恐るべき予感がよぎりました。

次のお手紙はその頃、善鸞大徳へ返信されたものだと思われますが、いよいよ彼の行状に関する不穏な情報が集まり始め、善鸞に対する聖人の不信感が滲んでいます。

あなたが関東へ行って、「わたしが父の親鸞から聞いた教えこそが真実であって、あなたがたが日頃から称えている念仏はすべて無意味である」といったとのことで、おおぶの中太郎入道のもとにいた九十人あまりの人がみなあなたのもとへ行き、中太郎入道を見限ってしまったと聞きました。どうしてそのようなことになっているのですか。……中略……この親鸞についても、えこひいきする人だといううわさが聞えてきます。力を尽して『唯信鈔』や『後世物語聞書』や『自力他力事』の内容や、二河の譬えなどを書いて、各地の人々にお送りしましたが、すべてみな無意味なものになってしまったと聞いています。どのように教えを説いているのですか。思いもよらないうわさが聞えてきますのは、何とも心の痛むことです。詳しく事情をお聞かせください。（『親鸞聖人御消息
恵信尼消息（現代語版）』九九頁）

いまや濃いモヤの向こうから、聖人の「恐るべき予感」が、はっきりとした事実となってかたちを現しつつありました。

善鸞大徳の意地

さらに、耳を疑うような知らせが親鸞聖人のところに飛び込んできました。それによると、

善鸞が土地の有力者である領主や地頭や名主といった権力者と手を取り合い、性信のような造悪無礙の徒を取り締まっていくことが親鸞の意思だと伝えていると言うのです。そして、その影響からか「念仏者のものにこころえぬ（念仏者の中で道理をわきまえない）」者たちが、なんと性信を造悪無礙の集団の首魁として鎌倉幕府へと訴え、それにより性信が率いる集団もろとも弾圧の危険にさらされていたのでした。きわめて緊迫した状況の中、幕府の評定所（裁判所）へ出頭した性信は、実に見事な弁明を展開し、裁判は性信の勝訴となりました。性信の報告を受けて、親鸞聖人は大変に喜ばれ、口を極めて彼を賞賛されています。*

ところで、この性信を訴えた「念仏者のものにこころえぬ」者とは誰なのか。それは意外なところから明らかになりました。親鸞聖人のもとを、壬生の女房という女性が一通の手紙を持参して訪れました。それは、紛れもない善鸞大徳の字で書かれてありました。そしてそこには、なんと自分（善鸞大徳）が鎌倉幕府に訴えを起こしたという衝撃的な内容が記されていました。しかもそればかりか恵信尼さまを「継母」と呼び、彼女が父を言い惑わしているなどと書かれており、次のような恐るべき内容もしたためられていました。

あなた方は、父が仮に説かれた教えを大切にしているのであり、いわば「しぼめる花」のようなものです。父の本意は、自分が夜にひそかに伝授されています。

善鸞大徳は「父の本意」として、あの法然聖人や父親鸞聖人がこれまで、命を懸けて護り伝えてきた他力（たりき）真実の教えを、聞いたこともない言葉を用いて、みにくく歪めていたのでした。この手紙こそ、善鸞大徳にまつわる悪い「予感」を、決定的に「事実」と裏づけるものでした。彼の策謀は破綻しました。

彼の暴挙が白日のもとにさらされたこの時、親鸞聖人は静かに筆を執りました。善鸞の一連の言動がすべて偽りであること、その証明として、彼との親子関係は絶ち切る（義絶（ぎぜつ））と宣言した書状を、善鸞大徳と、関東の門弟に向けてしたためられたのです*（『註釈版』七五四頁）。善鸞大徳を派遣してから四年目の建長（けんちょう）八（一二五六）年の五月のことでした。親鸞聖人は八十四歳、善鸞大徳は五十歳を過ぎた頃でしょう。

善鸞大徳は、四年前に関東へ向かった時、実は妻子を同伴していました。それほどの覚悟をしての関東入りだったのです。少しでも父に近づこうと奮闘するのですが、思い描いた理想とはほど遠く、いつの間にか彼は、父が命をかけて護ってきたものを深く傷つける虚言を重ねていました。その辻褄（つじつま）合わせに奔走（ほんそう）する虚しい日々の中、義絶状（ぎぜつじょう）を手にした彼は、ついに策謀が破綻したことを知ります。しかも、そればかりか父との親子関係まで消失したことを知った時、彼は遠く父を思い浮かべ、何を思ったでしょうか。一方、父もまた、わが子の人生に何を思われたでしょうか。二人の間に重たい哀切極まる時間が流れてゆきました。

ここに一つ、興味深い記事（『最須敬重絵詞』）が伝わっています（『聖典全書』四、三八三頁）。それは義絶に至った前年の暮れの頃、つまり善鸞大徳に関して大きくざわついていた頃です。高田門徒のリーダー真仏の娘婿に、顕智という方がいます。彼もまた人望厚く、のちに高田門徒を力強く牽引していかれましたが、彼が上洛して、五条西洞院の親鸞聖人のお宅に伺った時のこと。入ってみると、なんと炉端で、親鸞聖人と善鸞大徳が額をつき合わせ、小声で何やらお話しされていました。二人は顕智に気づくと、すっと離れられ、善鸞大徳はやがて去っていかれたといいます。これがおそらく、この親子が直接話した最後です。

いま、私たちはこの記事を、どう受け止めたらいいでしょうか。

ただひとり、その道を行く

善鸞大徳の、その後が伝わっています。親鸞聖人のひ孫に、本願寺第三代宗主の覚如上人がおられます。報恩講の時に拝読する、親鸞聖人のご生涯を記した、あの『御伝鈔』はこの方が書かれたものです。おそらくそのためのエピソードを求めて、関東を父の覚恵上人と旅されていた時のこと。覚如上人は、常陸（ひたち）の小柿（こがき）という場所で、病にかかり高熱にうなされていたのでした。すると、京都から懐かしい一行が来ていることを聞きつけた善鸞大徳が、よほど嬉しかったのでしょう、息子の如信上人（にょしんしょうにん）を連れて突然来訪したのでした。あの義絶からおよそ三十年後のことです。覚如上人もさぞ驚かれたことでしょう。

そのとき善鸞大徳は、一説には修験道（しゅげんどう）の行者（ぎょうじゃ）になっていたと言われています。彼は護符（ごふ）（呪符（じゅふ））でもってさまざまな災難を除けることができると自慢げに語り始めたそうで、その護符を取り出すと、何かサラサラと書き込み、これを飲みこめば病が治るから飲め、と言い出されたそうです。

「絶対に嫌や」――若い覚如上人は、うなされて聞こえないふりをしつつ、時が流れるのを待っていました。するとその場に堪えかねたのか、父上の覚恵上人が「それ」と覚如上人を揺り起こすと、如信上人が「はい」と護符を手渡してきたのです。もはや八方塞（ふさ）がり。覚如上人は、「ええい。かくなるうえは」と意を決すると、その護符を掌中に丸め込みながら飲みこんだふりをされたのです。しかし案の定、見とがめられ、気まずい時間が流れていったそうです。*

そしてもう一つ。これも覚如上人が目撃したことです。筑後守知頼（ちくごのかみともより）という人物が鹿島神宮（かしまじんぐう）

へ参詣されるのに、総勢二、三百騎もの騎馬集団が同道していました。ふとみると、それを先頭で率いていたのが、善鸞大徳でした。しかし驚いたことに、彼は念仏を称えており、首には、あの親鸞聖人から頂戴した直筆の名号をかけていたのでした。

偉大な父の子として、複雑な思いを抱えて歩まれた善鸞大徳。結果的に、父とはずいぶん遠く離れたようにも見えますが、それでもなお彼の胸には、あの偉大な父が、ずっと居続けていたのに違いありません。決して消えない後悔の念と共に。

■ コラム ■

獅子身中の虫

「獅子身中の虫め！」などというとドラマのセリフにありそうですが、元々は仏典に登場する言葉です。

たとえば『仁王経』では、国王や王子などの仏教を護持していた者が、転じて仏教を破滅させることの喩えとして示されています（『大正蔵』八、八三三頁下）。最強の獣である獅子を倒すのは外敵ではありません。獅子の身中に寄生して恩恵を受けているはずの虫こそが、獅子の身体を内側から食い破ってしまうことを表しているのです。

「世のなか安穏なれ、仏法ひろまれ」

鎌倉での裁判を終えた性信に宛てた手紙の中で親鸞聖人は、性信をねぎらい、その対応を讃えつつ、次のように述べています。

> わが身の往生一定とおぼしめさんひとは、仏の御恩をおぼしめさんに、御報恩のために、御念仏こころにいれて申して、世のなか安穏なれ、仏法ひろまれとおぼしめすべしとぞ、おぼえ候ふ。（『註釈版』七八四頁）

——自らの往生は間違いないと思う人は、仏さまのご恩を思い、報恩の念仏をして、「世のなか安穏なれ、仏法ひろまれ」と思われるのがよいと思います——。よく知られるこの言葉は、関東での緊迫した事態を経て示されたものでした。

義絶状の経路

親鸞聖人は善鸞大徳への義絶状と同じ日に、性信に宛てて大徳を義絶したことを知らせる消息を書いています。このことについて、聖人は両方の消息をまず性信に送り、性信は大徳に聖人直筆の正式な義絶状（正文）を示した上で写し（案文）を渡し、さらに門弟方にも写しを披露するという手続きがとられたのではないかという説が提示されています。

義絶される者が直接義絶状を受けとれば、自分に不利な情報を隠蔽する可能性があります。中世において、義絶される側が義絶状の正文を直接受けとったという例は今のところ確認されていないといわれています。（参考、『増補改訂　本願寺史』第一巻）

護符を飲まなかった理由

『最須敬重絵詞』では、護符の一件の後、覚如上人が護符を飲まなかった理由を語る場面が描かれています。もし、もののけや疫神などが病気の原因であるならば、信心の念仏者にはそうしたものから護られるという利益がめぐまれているのでもとより念仏の他に道はなく、もし寒風が原因であるならば薬を飲むべきであるので、呪術を用いる余地などはない、というのがその理由でした（『聖典全書』四、四四九頁）。『慕帰絵』では、善鸞大徳の立場を「邪道」（仏教ではない誤った道）、あるいは「別解・別行」（信心を異にし、念仏以外の行を修めること）という厳しい言葉で表しています（『聖典全書』四、三八三頁）。

唯善

■唯善とは

遠く越後の地から、親鸞聖人の妻、恵信尼さまが、京都の末娘の覚信尼さまへ最後に送った手紙に、このような一節があります。

何よりも子供たちのことを、詳しく仰せになってください。お聞かせいただきたいと思います。一昨年でしょうか、あなたに次の子供が生まれたとお聞きしましたが、その子供にもお会いしたいものです。

（『親鸞聖人御消息　恵信尼消息（現代語版）』一四四頁）

さて、次の話は、一昨年に生まれたこの子が主役の物語。

彼の名は唯善（一二六六―？）といいます。母は覚信尼さまで、本願寺の第三代宗主の覚如上人は、彼にとってわずか四歳年少の甥御に当たります。一時は兄弟のようにそばで育った二人は、やがて激しく対立することになります。

父や母が、親鸞聖人を慕う門弟のために所有した土地を廟堂の建設地として提供するのですが、その思いもよそに、唯善は廟堂を占拠し、彼は破滅へ向かって暴走したのでした。

親鸞聖人のお墓が、紆余曲折を経て、本願寺という寺院に成っていくまでの波乱の物語です。

1 衝撃の決断

覚信尼さまの家族

主人公となる唯善は、やや複雑な家庭事情を抱えています。* まずはそのことから。

文永三（一二六六）年、四十歳を少し過ぎていた覚信尼さまは、再婚相手である小野宮禅念との間に唯善（幼名、一名丸）を授かりました。これは父親鸞聖人の往生から四年後のことです。

彼女の死別した前夫は、又従兄弟にあたる日野広綱という人物であり、その間に一男一女を授かっていました。この一男一女は、唯善にとって父親の異なる兄姉になりますが、歳が二十歳以上も離れていました。兄のほうは、名を覚恵と言いましたが、彼はまもなく光仙（後の覚如上人）という名の子を授かります。唯善にとっては、このわずか四歳年下の甥御の方が感覚的には、よほど兄弟のようでした。

ともあれ覚信尼さまは、思いもよらず遅くに授かったこの末っ子唯善を、たいへん可愛がられたのでした。

このような状況の中、このご家族は、親鸞聖人を慕う関東の門弟たちが送ってくださるお志を頂戴して、ほそぼそと生活していたのでした。

親鸞聖人のお墓

さて覚信尼さまとは、言わずと知れた親鸞聖人の末娘であり、聖人の最期を看取ったことでもよく知られています。それはちょうど前夫との死別により、父親の住まい（三条富小路の善法坊）に寄宿していた時のことでした。彼女は、越後におられた母の恵信尼さまに父の往生を伝え、そこからの心あたたまる母娘の手紙のやりとりが、現在『恵信尼消息』として伝わっています。

彼女は、父の往生の後、何とか一基の墓を建てました。彼女にとっては精一杯のものでしたが、それは石塔の周囲に柵が張り巡らされただけの、ささやかなものでした*。

お墓を前にしたとき、後に残った者たちの心には、親鸞聖人のさまざまなお姿が思い出されました。

――流罪になろうとも、揺らぐことなくご法義を護ってゆかれたあのお姿。関東の人々にあたたかく、真摯に接していかれたあのお顔。法然聖人を生涯慕い、ご法義の中に自らを確認しつづけたあのお背中。そして、絶え間なく出るあの静かなお念仏の声。

そうやって聖人のお姿を偲ぶ内に、覚信尼さまや関東の門弟たちには、「いつかもっと立派なお墓を作って差し上げたい」という思いが自然と起こり始め、やがて強くなってゆくのでした。それは聖人を慕う気持ちから起こってくる、いかんともしがたい人情なのでした。

覚信尼さまが小野宮禅念と出遇い、唯善を授かったのはこの頃でした。

小野宮禅念の思い

ところで、この一家が居住している東山大谷の地は、小野宮禅念が所有する土地でした。広さは一四四坪で、当時の平均的な住宅地よりわずかに大きかったとされています。禅念は、かねてより念仏の法義に帰依しており、妻や門弟たちの親鸞聖人に対する思いも、知りすぎるほどに知っていました。

我が命がそれほど長くはないことを悟った彼は、妻に対し、「自分のこの土地を、聖人のお墓を安置するお堂（廟堂）を建てるのに用立ててはどうか」と提案したのでした。この提案を承けて、喜んだ門弟たちが奔走し、寄進しあって、立派な堂舎が建立されました。ここにお墓は改められ、親鸞聖人のご影像も安置されました。これを「大谷廟堂」（現・崇泰院のあたり）といいます。*

時あたかも、聖人の往生から十年目の文永九（一二七二）年であり、落成はご命日に当たる十一月二十八日だったと思われます。覚信尼さまや門弟たちの悲願が、ついに立派な廟堂となって大谷の地にすがたを現したのでした。

小野宮禅念は、この翌々年の文永十一（一二七四）年、正式に書状（本願寺蔵）をしたため、この大谷の土地を妻の覚信尼さまに譲られました。そこには彼女に宛てて、

> この証文を受け継ぎ、もめ事のないようにしてください。一名坊に譲るかどうかは、あなたのお心でお決めください。決してもめ事があってはなりません。（筆者意訳）

と述べてありました。この「一名坊」とは、ふたりの実子である後の唯善（当時九歳）です。禅念が強調したのは、わが子への相続ではなく、門弟全員の紐帯（結びつけているもの）となっているこの廟堂をもめ事の舞台にしないように、ということでした。そのためには、我が子への相続に固執せず、妻の長男覚恵との間で、状況に応じて柔軟に取りはからうよう指示されたのです。禅念はこの翌年亡くなっています。まことに尊い御仁であったといわねばな

りません。

覚信尼さまの決断

こうして覚信尼さまは、この土地を譲り受けました。すると彼女は、小野宮禅念が亡くなった二年後から、関東の門弟中へ重大な書状を三度にわたり送っています。

その中で彼女は、この土地を「聖人の廟所（墓所）」として関東の門弟へと譲渡すると記したのです。そして遠方の門弟にかわり、廟堂の管理者の職に、まず自分が、後には子孫が当たることを明記しました。この職は後に「留守職」と呼ばれました。ただし管理者といっても、土地の売買・質入れ、さらには管理者の任命も罷免も、権限はすべてみな関東の門弟に与えるというものでした。また、この手紙の一通には、覚恵と唯善の両者に署名させるという念の入りようでした。

彼女のこの決断は、門弟を「弟子」と呼ばずに「御同行・御同朋（同じ道を行く者、仲間）」と呼び続けた父親鸞の姿勢や、その父の往生後もなお熱い思いを寄せ合い、ついには廟堂を完成させた門弟たちの姿、そして亡き夫禅念が託した思いなどを知る彼女にとってみれば、至極自然な決断だったのかもしれません。

　廟堂が完成してから十年が過ぎた弘安六（一二八三）年、還暦を迎えた覚信尼さまは咽喉の病が重くなり、もはや健康体への回帰は望むべくもない状況となりました。しかし彼女には廟堂の管理者を、覚恵と唯善のどちらにするのか決定を下すという、大きな仕事がまだ残っていました。

　はたして、覚信尼さまが関東の門弟へ向けた最後の書状には、次代の管理者を「覚恵」とする旨が記されていました。そして同じ書状の中で門弟たちに、自分の死後も一族の扶助をお願いする旨が丁重に認められてありました。しかも覚信尼さまは、この書状を、なんと唯善に執筆させていました。＊これは、両者がこの決断に納得済みだという形を取るためだったのではないでしょうか。

　ちなみに覚恵は、十年ほど前に廟堂が建立された時、妻を亡くし、三歳の長男覚如と共に、三条富小路（善法坊か）から大谷の地に移住していました。留守職を継承した時、覚恵は、四十代半ばを過ぎたあたりだったでしょう。また息子の覚如はこの時、十四歳で、天台宗で遊学中。たぐいまれな学才によって、名を上げ始めていた頃でした。

臥薪嘗胆の日々

そんな中、十八歳の唯善は、茫然自失の状態で、ひとり大谷の地を後にしていきました。覚信尼が留守職の最終決定を下した時――。彼は最愛の母が、力を振り絞って起草していく文案を黙って書き記しましたが、内心、とても驚いていました。というよりも、頭の中は真っ白になっていました。

「なぜ我が父が所有していた土地の管理を、父の子でもない兄が……」

唯善には何も残されませんでした。彼にとってはまったく信じがたい決断であり、この決断は彼をとても深く傷つけたのでした。彼の混乱した思いは、やがて覚恵に対する激しい怒りとなって、心の底にふつふつと煮えかえり始めるのでした。

唯善はその後、京都の仁和寺に出向いて、しばらくは真言密教や修験道の修行に励み、山伏を志したようです。しかし長くは続かず、意外な人物をたよって、一路、関東へと向かったのでした。

その人物とは、かの『歎異抄』の著者と目される常陸国河和田の唯円房でした。彼は、当時「かの唯円大徳は鸞聖人の面授なり。鴻才弁説の名誉あり」（『慕帰絵詞』、『聖典全書』四、三八二頁）と評され、今や少なくなった親鸞聖人面授（師弟が対面して直接法を授けること）の弟子の中でも、別格の存在感を放っていました。

なぜ唯善が唯円房を頼ったのかについては諸説があります。一説には、唯善の父、小野宮禅念が覚信尼さまと結婚する前、前妻との間に生まれた子が唯円であり、両者を異母兄弟とする伝承がありますが、はっきりしません。ただ「唯円」から一字を頂戴して、この頃から「唯善」と名告ったようです。彼は妻子を得て、唯円房のもと、浄土真宗の法義について学んでいきました。しかし生活はすこぶる困窮したのでした。

その頃、覚恵が関東の地に息子覚如と共に出向くことがありました。それは親鸞聖人の御一代記である『御伝鈔』を執筆するための情報収集の旅でした（本書「慈信房善鸞」篇一一一―一一三頁参照）。彼ら二人は、そこで零落していた唯善を見ることになります。

覚恵は、彼を京都へ呼び戻しました。唯善は二十代後半になっていました。兄からすれば、あれ以来疎遠になっていた、我が子のように年の離れたおとなしい弟が心配でならなかったのでしょう。

しかしながら、京都へ戻ってきた唯善は、以前とは人が変わったようでした。彼は京都へ戻ってくるなり、大谷の土地は、覚恵・覚如親子と、自分たち家族とが同居するには狭小だと主張し始め、南隣の土地を購入するように覚恵に要望しました。

覚恵も納得するところがあり、関東の門弟たちと協議の結果、彼らの助力によって、南側にあったほぼ同じ大きさの土地を購入することができました。ところが、その土地の権利者を記す書状の名前をめぐって、唯善は、「この土地は自分の所有となるのだから、もちろん、自分の名前にするべきだ」と主張しはじめたのです。彼の論理からすれば、自分の父が所有した北側の土地に、なぜか異父兄の家族が住みついているのだから、南側の土地は、自分が本来所有すべきだった土地を取り戻したに過ぎない、という感覚だったのかもしれません。

しかしこれについては覚恵が、祖父親鸞聖人のご廟所を拡張したと考えるべきであり、門弟中の所有と考えるのが、自分たちの母覚信尼の残した思いからしても当然ではないだろうか、とたしなめたのでした。

すると、この言葉を聞いた唯善の顔色は一変し、覚恵に対し、激しい敵意を剝きだしにした眼差しを突き刺したのです。

ここから覚恵・覚如親子と唯善の十年にわたる対決が始まるのでした。

■コラム■

親鸞聖人の関係者略系図（信綱を範綱の子としている史料もある）

- 範綱
- 宗業 ― 信綱 ― 広綱
- 有範 ― 親鸞
- 親鸞 ＝ 恵信尼 → 覚信尼
- 広綱 ＝ 覚信尼 → 覚恵 ― 覚如
- 覚信尼 ＝ 禅念 → 唯善

親鸞聖人の墓

この墓は現在の知恩院大方丈のあたりにあったのではないかと考えられています。絵には、柵の中に石塔が描かれています。六角の石柱に傘がのるこの石塔の形は、比叡山の横川で慈恵大師良源が考案したものと言われ「横川形式」と呼ばれています。源信和尚の墓もこの形式です。比叡山時代、親鸞聖人は横川で

修行をしていたことから、関連がうかがわれます。（図2＝『親鸞伝絵』専修寺蔵）

初期の大谷廟堂

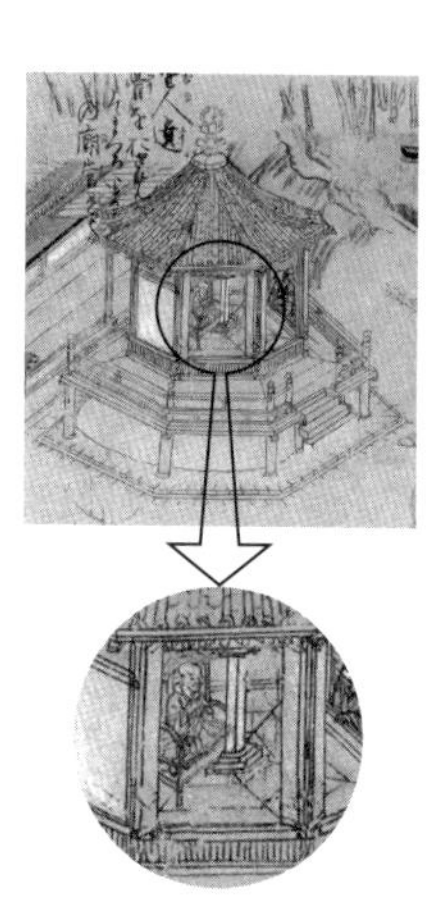

この大谷廟堂は現在の知恩院の山門の北にある崇泰院あたりにあったのではないかと言われています。六角形の廟堂の中に、お墓から移されたと考えられる石塔と、親鸞聖人の像（御真影）が安置されています。（図3＝『親鸞伝絵』専修寺蔵）

覚信尼さまの手紙

覚信尼さまから関東門弟への寄進状は、建治三（一二七七）年に二通、弘安三（一二八〇）年に一通が送られています。手紙の中で覚信尼さまは、京都では土地の境界線についての争いが多いということを繰り返し強調し、そのような事態にそなえた周到な対策を示しています。そして、弘安六（一二八三）年の最後の手紙で、

さてはこの聖人の御墓の御沙汰をば、専証房（覚恵上人）に申置き候なり。（『聖典全書』六、八〇五頁。原文の仮名を一部漢字に変更）

と、覚恵上人に継職(けいしょく)することを明示したのでした。

2 激突の代償

大谷北地と大谷南地の緊張

永仁(えいにん)四(一二九六)年に大谷廟堂(おおたにびょうどう)の南側を購入して以降、大谷(おおたに)の地は、覚恵(かくえ)・覚如(かくにょ)親子が居住する従来の北側の地を「大谷北地(ほくち)」、唯善(ゆいぜん)一家が居住する南側を「大谷南地(なんち)」と呼ぶようになりました。

唯善からすれば、これまで不当に辛酸(しんさん)をなめ続けてきたという思いが強く、鬱憤(うっぷん)をはらすように、日々囲碁や弓に興じて自由に遊んで過ごしました。彼にとってその生活は、やっと奪還した当然の権利でした。また彼の目には、兄覚恵は自分からすべてを奪った「横領者」としか映っておらず、聡明の誉れ高かった覚如の存在も気に障(さわ)ったようで、彼には教義的(きょうぎ)な論争をふっかけ、時に激しい議論になったりもしました。

唯善が抱き続けた積年の憤怒（ふんど）は、いつしか覚恵親子をこの大谷の地から追放するという一念に集約されていきました。ここからの彼は、この復讐の一念を達成するべく、ほとんど異常ともいえる執念の日々を送ることになります。

いまや隣り合う大谷の北地と南地は、大変な緊張状態にありました。こうした心労もあってか、五十代半ばにさしかかっていた覚恵は「瘻（ろ）」という病に罹（かか）り、以後長く苦しむことになります。

唯善うごく

唯善が京に戻ってから五年後の正安（しょうあん）三（一三〇一）年、関東の門弟（もんてい）の中で高田門徒（たかだもんと）、横曽根（よこそね）門徒に次ぐ大集団となっていた鹿島（かしま）門徒から、長井導信（ながいどうしん）*という人物が北地を訪ねてやってきました。その目的は、親鸞聖人（しんらんしょうにん）が「真宗の教証（しんしゅうきょうしょう）、片州（へんしゅう）（日本）に興（おこ）す」（「正信偈（しょうしんげ）」、『註釈版』二〇七頁）と讃歎（さんだん）され、生涯お慕い続けた法然聖人（ほうねんしょうにん）の伝記制作を依頼するためでした。

法然聖人は今もなお、阿弥陀如来（あみだにょらい）の本願（ほんがん）の救いを説き広められた中心人物として、多くの人に尊崇されていました。覚如はそれをわずか二十日足らずで書き上げると、『拾遺古徳伝』（全九巻）と名づけられたのでした。

ところで、この導信が滞在中に南地を訪れた時、驚くべき情報を入手します。それは北地の相続に関して、唯善が父小野宮禅念の譲状を所持していると主張しており、自らの所有とするべく画策して、すでに院宣を得つつあるというのです*。院宣とは、上皇が発給する文書で、当時の社会で大きな法的効力を持ちました。

この情報は事実でした。彼は朝廷に、「自分は父禅念の逝去以来、その《一子》として管理に努めてきており、その任を全うする為に院宣を得たい」と大胆な虚構を交えて訴え、ついに院宣を得ていたのです。まさに奇襲でした。

事態は急を要します。覚恵は後宇多院の側近の一人であった参議、六条有房と接触し、「唯善がいう禅念の譲状などというのはまったくの虚構で、もし何か差し出したのなら偽造したに過ぎません。一方で、母覚信尼が関東の門弟中へ差し出した寄進状はたしかなものです。ご覧になりましたか？」と尋ねたところ、「見ていない」といいます。ならば、ということで寄進状を提出したことで、有房から「今回の件で院宣はすでに出されたが、重ねて説明すれば正理に帰した院宣を得ることは可能だ」とする回答を引き出したのでした。

はたして翌年、覚恵は関東の門弟中へ覚如を向かわせ、今回の事情説明と訴訟費用の協力願いを行わせました。その結果、唯善の言い分はくつがえり、従来の廟堂の管理体制を支持する後宇多院の院宣を取ることに成功したのでした。ちなみに有房が、「この大谷廟堂に関する院宣の宛名は覚恵でよいか」と尋ねた所、覚恵は「母の思いからすれば《門弟中》として欲しい」と述べたそうです。この院宣は鹿島門徒が預かるところとなりました。

二年後の嘉元元（一三〇三）年。関東では、時宗門徒が中心となり、諸国へ群参しては横暴にふるまうとのことで、幕府の禁制を受ける事件がありました。ところが、当時はどの門流の念仏者か区別が難しい時代で、中には親鸞聖人の門流の者も含まれていたのでした。

さて、そのことを知った唯善はすぐに関東へ赴くと、横曾根門徒の数名と協力して、鎌倉幕府にはたらきかけるための莫大な資金を集めることに成功します*。それをもって幕府へ出向き、「親鸞の門流はその限りではない」との旨を記した安堵状を取ってきたのでした。その中には、自らを親鸞聖人の正統な後継者「遺跡」と明記させていました。彼の、一連の見事な立ち回りの狙いはここにありました。つまり廟堂の管理者として自分こそふさわしい子孫だという既成事実を作り出す所にあったのです。

その三年後の徳治元（一三〇六）年、六十歳を過ぎた覚恵は病が相当に進行し、重篤化していました。

唯善は、その時を待っていました。彼は北地へと押し入ると、弱り切った兄から廟堂の鍵を強奪し、ついに兄親子を大谷の地から追放したのです。これにより彼は永年の悲願を達成したのでした。

覚恵は、二条朱雀（にじょうすざく）にあった覚如の妻の実家へ何とか身を寄せましたが、失意の中、そこで翌年亡くなったのでした。覚信尼さまの最後の譲状から二十四年後、廟堂を巡って最も恐れていた事態が現実のものとなってしまいました。唯善は、比叡山（ひえいざん）から僧兵（そうへい）を動員して護衛に当たらせ、北地の占拠へ万全を期しつつありました。

執念の攻防

翌年、この大谷廟堂の紛争を、遠く関東から注視していた門弟中から、高田門徒を率いていた顕智（けんち）、鹿島門徒を率いていた順性（じゅんしょう）など、ついに親鸞聖人面授（めんじゅ）の重鎮たちが動き始めます。彼らは京都に続々と使者を送り込み、覚如を訪ねさせると、唯善の占拠をやめさせ廟堂を奪還することが関東の門弟中の総意だと伝え、両者は一致協力して解決に当たることになりました。

覚如らは訴訟を起こし、検非違使庁（現在の警察のような機関）の別当（長官）から、大谷の地を彼らの所有とする別当宣（別当による命令文書）を受けることができました。ところが、手続きが遅滞し、なぜか役人も熱心に執行を迫らなかったため、唯善たちはその裁決を黙殺しました。別当宣は再度出ましたが、状況は変わりませんでした。

延慶元（一三〇八）年、覚如たちは、より法的に強い執行力を持つ院宣を得る必要があるとの結論に達し、ツテをたどってついに伏見院の院宣を得ることに成功したのです。その内容は、先の後宇多院の院宣と別当宣に任せるというものでした。覚如はたいへん喜ばれたそうで、これで事態は打開できる、はずでした。

ところが、唯善は「奇策」ともいえる論法で、なんと、あらたな院宣を得て反撃してきたのです。それは大谷の敷地というのは、元来、法楽寺（白川東山）の領地であり、その領地内の紛争には法楽寺の本所「妙香院」の沙汰を受けるべきである。それを差しおいての院宣や別当宣は筋違いで、無効だというのです。

覚如たちは、この「本所」を持ち出す論理は想定外だったようで、「仰天無極」であったといいます。ここに唯善の執念の凄まじさを見ることができます。

その後も紛争は解決せず、裁定はついに両者の直接対決にゆだねられることになりました。延慶二（一三〇九）年、最終決戦の舞台は、門跡（もんぜき）寺院であった青蓮院（しょうれんいん）の別所（べっしょ）が選ばれました。両者は別室にて、各々が持参した証文を示して経緯を説明し、弁明をおこないました。

そうなると、唯善自身が若き日に執筆した覚信尼さまの明確な譲状、後宇多院・伏見院の二代にわたる院宣、別当宣などを有する覚如側に対し、唯善の不利は明白でした。しかも唯善が得た親鸞門流の安堵を示した鎌倉幕府の文書と、廟堂の管理者の問題とは無関係だと判断され、そもそも廟堂の管理者は門弟の意向に依るということになっているが、唯善の支持者が五、六名なのに対し、高田や鹿島の門徒は諸国数千人にのぼることなどが指摘されました。さらに、この取り調べによって、窮乏（きゅうぼう）していたのでしょうか、唯善がなんと大谷の地を質入れしていることも判明したのです。もはや唯善の敗色は濃厚でした。後日、青蓮院の判断が下ることになりましたが、唯善はその裁決を前に姿を消しました。

唯善の頭には、もはや一つのことしかありませんでした。彼はいそぎ大谷の廟堂に駆け込むと、廟堂の金物や石塔を破壊しはじめたのです。唯善は一心不乱にそれを続けました。そして、無残な姿となった廟堂を確認すると、かねてから、ひそかに持ち出していた親鸞聖人のご遺骨とご影像（えいぞう）を抱えて、唯善は逃亡したのでした。* それは「破壊」による大谷廟堂の否定であり、この一連の事件に対する彼なりの幕引きの仕方でした。

唯善はしばらく行方知れずとなりましたが、後に鎌倉の常葉（ときわ）（現・常盤）に小さな堂舎（どうしゃ）を建てたそうです。それが彼にとっての「廟堂」だったのでしょう。

後に下された青蓮院の裁決は、言うまでもなく覚如上人側の言い分を全面的に認めるものでした。

覚如上人の護法への思い

この常軌を逸した事件の傷跡は、やはり深刻なものでした。覚如上人が、関東の門弟中へ改めて廟堂の留守職（るすしき）への就任を認めてもらおうとはたらきかけるのですが、認可が下りないのです。それは「血族」に対する一種のアレルギーのようなものでした。それでも覚如上人は門弟中へ「懇望状（こんもうじょう）」をしたため、各所へ奔走（ほんそう）し続けた結果、延慶三（一三一〇）年、四十一歳にしてやっと留守職へ就任したのでした。

しかし、覚如上人はここで足を止めませんでした。この頃はすでに親鸞聖人の往生（おうじょう）から半世紀近く経ち、またもや本願念仏（ねんぶつ）の教えに対する誤った理解（異義（いぎ））が目立ち始めていました。彼にはその統制（護法(ごほう)）は自らが当たるべきだとの自負がありました。

覚如上人は、親鸞聖人の深遠で複雑な教義構造を「信心正因(しんじんしょういん)・称名報恩(しょうみょうほうおん)」「平生業成(へいぜいごうじょう)」というシンプルな言葉で鋭く説明してみせ、信心の統一化をはかりました。

そして、護法を成し遂げるためには、この預かり受けた廟堂を、単に親鸞聖人を偲ぶ場としておくのではなく、各地に散在する門弟を「教団」という単位で統率し、その中心機関として寺院化する必要があるとの大胆な構想をいだくのでした。「廟堂」としての大谷に心を寄せていた多くの門弟は、当然この構想に反対しました。それでも覚如上人は、なかば強引ともいえるほどに、この構想を実現させてゆきます。

こうしてできた寺院こそ「本願寺(ほんがんじ)」なのです。ここに法然聖人ではなく、「本願寺の聖人・親鸞」を中心とする教団が生まれたのでした。これにより親鸞聖人の門流の者を、不当な弾圧から護ることができるようになったのでした。

ところが、覚如上人がこの畢生(ひっせい)の大事業を成し遂げ、関東の門弟たちに大同団結を呼びかけた時、その思いとはうらはらに、関東の門弟たちの心はすっかり離れてしまっていました。

覚如上人の構想は夢に消えたかと思われました。

しかし、覚如上人ご往生のおよそ百年後。「本願寺」を継職(けいしょく)した蓮如上人(れんにょしょうにん)が「本願寺の聖人親鸞」「信心正因・称名報恩」「平生業成」という覚如上人が築いた礎を最大限に活用され、その天才的手腕で、浄土真宗を日本全国へと伝えてゆかれました。それは覚如上人が思い描いた何倍ものスケールだったはずです。

今、私たちが浄土真宗の教えに触れている事実の根底には、覚如上人の先見の明とご苦労とがあることを決して忘れてはならないでしょう。

■コラム■

鹿島門徒

鹿島門徒は、常陸国鹿島郡・行方郡（現・茨城県南東部）一帯を拠点とする門弟集団です。親鸞聖人はお手紙の中で、当地での造悪無礙の問題などをしばしば気にかけておられます。

鹿島門徒のリーダーである順信房信海（生没年不詳）は、鹿島神宮の神官の一族の出身とされており、親鸞聖人の関東でのご教化に接して門弟となりました。

その順信房を開基とするのが茨城県鉾田市の無量寿寺です。現在は鳥栖（本願寺派）と冨田（大谷派）の二つの無量寿寺があり、鳥栖の無量寿寺には、現存するものでは最古級の『拾遺古徳伝』の絵巻が所蔵されています。

大谷をめぐる第三の人物

唯善が院宣を得た背景には、大谷の地を欲した第三の人物の存在がありました。その名を源伊（生没年不詳）といいます。

源伊は、親鸞聖人の手紙（『註釈版』七九九頁）に名前が登場する「そくしやうばう」（即生房、伝不詳）の子孫で、比叡山の堂僧であったとされています。親鸞聖人の弟・尋有の坊舎であり、聖人が往生された地である善法坊を、何らかの縁があって相続していました。ある時、この源伊の弟から、大谷の地は兄源伊が受け継ぐべきであるという主張が出されました。唯善はこの機に乗じ、源伊から大谷を護るためという建前で院宣を申請したのです。

唯善与同

本文でも触れているように、門弟たちの中には、唯善の行動を支持する人々も存在していました。

『親鸞聖人門侶交名帳』は、親鸞聖人の流れを汲む門弟たちの名前を整理して示した史料です。その中で、複数の人物が「唯善与同」、すなわち唯善の行動を支持したと指摘されています。『交名帳』には、成立年代や内容が異なる複数の系統の本があり、それらを合計すると、唯善の支持者とされる門弟は十名を超えています。必ずしも客観的な記録とはいえませんが、少なくとも、唯善一人が門弟たちすべてを敵に回して暴走したというとらえ方は正確なものではないといえるでしょう。

後の大谷廟堂

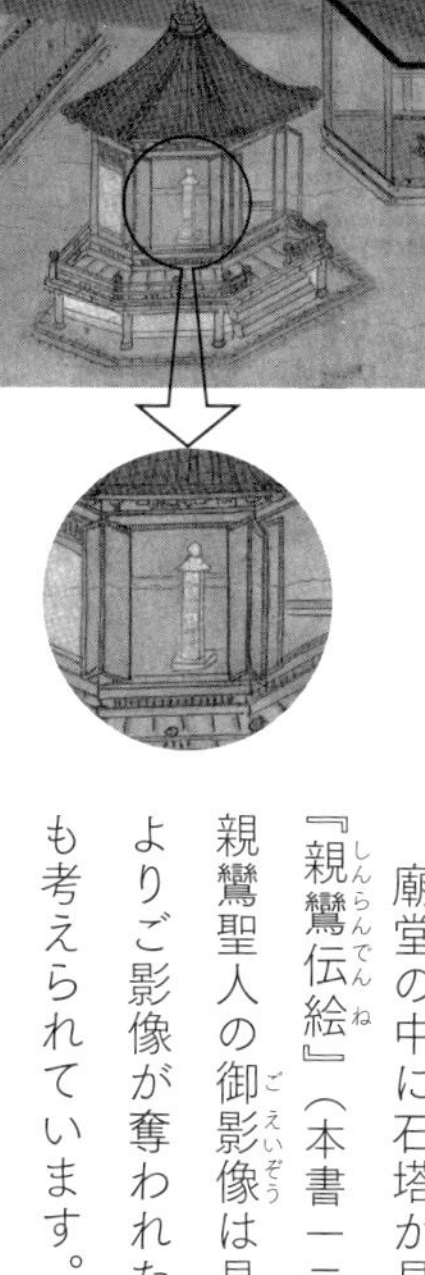

廟堂の中に石塔が見えますが、前出の専修寺蔵『親鸞伝絵』（本書一二九頁参照）で描かれていた親鸞聖人の御影像は見えません。これは、唯善によりご影像が奪われた後の状況を反映したものとも考えられています。

（図4＝『善信聖人絵』本願寺蔵）

下間蓮崇

■下間蓮崇とは

「肝要は拝読の御文章でございます」

お寺の法座では、必ず最後に布教使の先生がこう締めて『御文章』を拝読されます。蓮如上人によって、親鸞聖人の教えが、じつに鮮やかに簡潔な言葉で記されたお手紙の数々。それが『御文章（お文）』です。

このお手紙を通して、浄土真宗の教えはこの方一代で全国津々浦々にまで広がってゆき、実に多くの人たちが阿弥陀如来さまに、そして親鸞聖人に出遇っていかれました。

ところで蓮如上人は、はじめから『御文章』による伝道に確信をもっていたわけではありませんでした。それが蓮如上人によってあれほどまで熱心に推し進められたのにはひとりの男の熱心な進言があったからなのでした。その男の名は「下間安芸法眼蓮崇」（生没年不詳）、いっぱんには「蓮崇」と言います。彼は、蓮如上人の子息でもないのに「蓮」の一字を名前に頂戴し、代々本願寺の坊官であった「下間」姓を与えられたほど上人に信頼された人物です。急速に拡大してゆく教団のリーダー「本願寺蓮如」を巧みな手腕で支えた名参謀でした。しかし、彼は蓮如上人によって破門されています。いったいどんな人生を歩んだのでしょうか。

蓮崇という男

蓮崇（下間安芸法眼蓮崇）のことについて、それほど資料は残っておらず詳しくはわかっていません。ただ彼は越前（現・福井県浅水町）の出身で、そこと広島とを頻繁に行き来していたことから、人は彼を「安芸」と呼んでいました。

蓮如上人が、蓮崇について直接記された『御文章』が一通（文明三〈一四七一〉年九月十八日付）だけ伝わっています。それによれば、彼はもともと「心源」と名のったそうです。ある時、彼は高野山へ参ろうと上洛した折、ふとしたご縁から、大谷の本願寺へ参ることになりました。そして、彼はそこで説かれたみ教えに心から感服したのでした。それまでの他力念仏の教えに対する心得違いを改め、この教えにしたがって生きることを思い立ったのです。

蓮如上人はこの『御文章』の中で、「彼は以前とは違っており、その証拠に名を〈蓮崇〉と改めた」（『聖典全書』五、二四一頁）と述べられています。この『御文章』は、いわば彼に対する上人のお墨付きのような意味を持ったことでしょう。

ところで、蓮崇が大谷の本願寺を訪ねてから、しばらくすると、その本願寺が、比叡山衆徒によって破却されるという大事件が起こりました（寛正の法難。一四六五年）。蓮崇も、蓮如上人の身を大いに案じたことでしょうが、皮肉なものです。その結果、上人は蓮崇の地元、越前は吉崎へとやって来られることになったのですから。このことは蓮崇の人生において、きわめて大きなターニングポイントとなりました。

規格外の才能

蓮如上人が吉崎に来て以来、蓮崇は一変しました。吉崎御坊が建設されると、彼は昼夜の別なく、来る日も来る日もお茶処に座りました。齢四十を数えた彼が、そこでおこなっていたのは文字の習得でした。イロハから始め、漢字を習得し、やがてお聖教を写すほどになってゆきました。前出の『御文章』が書かれたのもこの頃であり、蓮崇が蓮如上人に『御文章』の伝道の有効性を説き、上人が本格的に執筆されはじめたのもやはりこの頃です。彼は吉崎の殿内に住むことを望み、奉公を一段と深くおこなったため、代々本願寺に仕える下間家の者*がいるにもかかわらず、蓮如上人は「安芸、安芸」と呼んで彼をそばにおき、ついには下間姓を与えられたのです。

しかも時は応仁・文明の乱による波紋が全国に及んだ動乱期。蓮崇は、急速に教線を拡大していく本願寺と、幕府や在地の守護大名との間に入り、想定外の難局が矢継ぎ早にせまりくるきわめて難しい職務を、絶妙なバランス感覚と卓越した調整力とによって、じつに見事にはたし遂げてゆきます。彼はやがて越前国守護朝倉孝景とは知音（親友）の間柄となり、室町幕府第八代将軍足利義政にも取り入って被官分にもなり、法印（最高の僧位）に次ぐ「法眼」の位まで得ました。彼はいつしか土蔵を十三棟持ち、数百人の被官を抱えていたといわれます。その多面にわたる豊かな才能は、文字通り規格外のものであり、まさに「乱世が生み出した鬼才」というにふさわしいものでした。蓮如上人は彼のそうした才能と勤勉さ、そしてなにより御法義をよろこぶ姿にあつい信頼を寄せたのですが、蓮崇は、そのあり余るほどの才能に、やがておぼれていってしまうのでした。

蓮崇の策謀

富樫政親は、加賀国（現・石川県）の支配を弟と争い劣勢に立たされていました。しかしながら文明の一揆で本願寺の加勢を得ると形勢は逆転し、見事、彼が加賀国の守護大名になったのでした。*ところがその後の政親の態度に納得しかねた一部の門徒が暴走し、政親に挑みかかったのです。その結果、彼らはあえなく越中（現・富山県）へ敗走するという事件が起こりました。やがてその門徒中の代表二名が蓮如上人へ和議の仲介を求めて吉崎へとやってきました。取り次いだのは奏者（取次役の秘書）である蓮崇でした。

彼は用件を聞くと蓮如上人のもとへ向かい、あろうことか、「先日の一揆で越中へ逃げた連中が、今一度加賀へ攻め入るのに際し、蓮如さまの励ましの言葉を頂きたいと参っております」とまるで反対のことを告げたのです。それを真に受けた蓮如上人が「争いは無用なことであると思うが、談合してそのように決めたというのならば、もはやどうしようもない」と言うと、蓮崇は二人のもとへ戻り、「蓮如さまは、政親を成敗するよう力を尽くせと申しておられる」とさらに真反対のことを言いました。さすがに訝しんだ二人は蓮如上人に直接お会いしたいと言い出しました。すると蓮崇は、上人に「その者たちが面会を望んでおりますが、蓮如さまのご意向は自分がよく伝えますので、詳しくは安芸と相談せよとだけお述べください」と言って、二人を上人のもとへ案内しました。上人は「この度は骨折りであった。蓮崇と相談せよ」と述べて座を立ったのでした。

「政親を成敗せよ」と曲げられた蓮如上人の意向は、北陸一帯を瞬時に駆け抜けました。

それによって吉崎周辺は一気に緊張状態となってしまい、富樫政親は同盟関係にあった朝倉孝景と共に、はやくも吉崎包囲網を敷きつつありました。こうした状況を知り、北陸にいた上人のご子息、蓮綱（三男）と蓮誓（四男）は急使をつかい、大津にいた長男の順如上人へ事の次第を伝えました。*

すると順如上人は一路北陸へ駆け、なんとか吉崎御坊に辿りつくや、蓮如上人に、吉崎をとりまく今の危機的な状況を伝えたのです。蓮崇の巧みな情報操作のせいか事態を把握できていなかった上人も、ここに至って吉崎が重大な危機に陥っていることを知りました。そして、それがすべて蓮崇の策謀であることにも気づかれ、愕然とされたのでした。蓮崇はその場で破門となりました。それは爆発的な教線拡大を成し遂げた吉崎時代の終焉をも意味していました。

順如上人の説得により、上人はその晩に御坊を舟で脱出することを決意します。順如上人が御坊裏手の北潟湖に用意していた小舟へ向かうと、中に一人の男が潜んでいました。順如上人がその男を引きずり出すと、それは蓮崇でした。彼は漕ぎ出された小舟を見ながら、浜に伏して泣き続けたといいます。文明七（一四七五）年八月のことでした。

ちなみにこの後、長享二（一四八八）年の一揆によって本願寺門徒は、実際に富樫政親を破ってしまい、皮肉にも蓮崇が目論んでいたことは実現することになります。加賀国がおよそ一世紀にわたり、前代未聞の「百姓の持ちたる国」として戦国時代に自治を続けたことは有名な話です。

再会、そして……

さて、その後も蓮如上人の伝道活動がとどまることはありませんでした。出口（現・茨木市）・富田（現・高槻市）・堺（現・堺市）に御坊を建設して新たに拠点を作り、文明十二（一四八〇）年には、長年の悲願であった「本願寺」の再建を果たし遂げ、十五年ぶりに山科の地に壮大な本願寺が出現しました。

晩年、蓮如上人は大坂に新設された御坊で過ごされることが多かったようですが、ご往生のひと月前にあたる明応八（一四九九）年二月、山科の本願寺に戻ってこられました。病床で、まぶたの裏にどうしても浮かんでくるのは、あの蓮崇でした。そして、蓮如上人はふと「蓮崇を許してやろうか」と言いました。そしてしきりに「あれは、いま、どこにおるんだ」と気にされ始めたそうです。

　このとき実は、蓮如上人の病状を聞きつけ、蓮崇は山科に来ていたのですが、面会を望んでも誰も取り次ぐ者はいませんでした。しかし、やがてどこからか、蓮崇が山科の地に来ていることが蓮如上人に伝わりました。上人が蓮崇を連れて来るよう命じると、そこにいた人たちは一斉に、蓮崇がかつて犯した悪事をさかんに並べ立て、面会に猛反発したのです。その時でした。蓮如上人が、

　それぞとよ、あさましきことをいふぞとよ。心中だに直らば、なにたるものなりとも、御もらしなきことに候ふ（『註釈版』一二二〇頁）

（それがいけない。何と嘆かわしいことをいうのだ。心さえあらためるなら、どんな者でももらさず救うというのが仏の本願ではないか）

と毅然と言い放たれ、

　徒ら者を免ずが当流の奇模なり。呼び出すべし（『聖典全書』五、六四五頁）

（どうしようもない者を許していくところに当流の面目がある。呼んできなさい）

と一喝されたのでした。わずかに残った命の炎が燃えあがったような迫力です。

　三月二十日。北潟湖で別れて以来、二十四年ぶりの再会が実現しました。入ってきた蓮崇ははじめから泣き通しで「かたじけないことです」と言うばかりでした。その場で破門が解

かれると、彼は「有り難いことです」と述べるや、ついに五体を地に投げて大声をあげて泣きくずれたのでした。おそらく蓮如上人も目に涙をためておられたのではなかったかと思われます。

その五日後の三月二十五日、蓮如上人は尊いご一生をおえ、ご往生されました。翌二十六日の葬儀に、蓮崇は参列してやはり泣き続けたそうです。そして、その二日後の二十八日、なんと蓮崇も浄土往生を遂げたのでした。学者の中には殉死ではなかったかと指摘する人もいます。

輝かしい栄光と深い闇の混在した彼の激動の人生はまことに数奇なものでした。すぐに浄土で再会されたお二人。いったい何を語られたのでしょうか。

■ コラム ■

下間氏

本願寺の坊官（寺務・宗務を司る役職）を代々つとめた一族。晩年の親鸞聖人のそばに仕えた蓮位を祖とすると伝えられ、下間の姓は蓮位が常陸国下妻（現・茨城県下妻市）の人だったことに由来すると言われます。戦国時代、本願寺が一大勢力になるにしたがって、下間氏は武将のような存在感を示すようになりました。明治になると坊官制度が廃止され、下間氏は本願寺の行政から退きました。

文明の一揆

朝倉孝景は応仁・文明の乱で西軍から東軍に寝返り、越前一国を制圧しました。蓮如上人が吉崎に入ったのはちょうどこの頃です。

一方、吉崎から国境を挟んですぐ隣の加賀国では、守護・富樫家の政親と幸千代の兄弟が、東軍と西軍に分かれて家督を争っていました。幸千代に追われ越前へ逃げた政親が同じ東軍方の孝景を頼ると、孝景の要請で、文明六（一四七四）年、吉崎の本願寺門徒は政親に加勢して幸千代勢と戦い、これを破ります。

こうして加賀国の守護に就くことができた政親でしたが、領民である門徒との関係は、ここから悪化の一途をたどってしまいました。

順如上人

蓮如上人の長男。後継者として譲状（ゆずりじょう）を与えられますが固辞し、蓮如上人の補佐に務めました。この方は、才気煥発の英才であったばかりか、政治的な才能もあり豪胆不敵なエピソードがいくつか残されています。

応仁・文明の乱の際、東軍・足利義政（あしかがよしまさ）と、西軍・足利義視（あしかがよしみ）と、双方の宴席で裸踊りを披露して評判になったり、両軍の兵に酒をふるまい、一時休戦させたりするなど、武家や朝廷との外交に特に実力を発揮しました。父・蓮如上人は、わが子の深酒に閉口しつつも、その働きぶりに満足していたと言われています。（『天正三年記』、『聖典全書』五、六三九頁）

しかし、こうした役目で身心を酷使することになったのでしょうか、順如上人（じゅんにょしょうにん）は四十二歳という若さで往生（おうじょう）しました。

顕如と教如

■顕如と教如

蓮如上人が空前絶後の教線拡大を成し遂げたその時から、本願寺は必然的に歴史の渦中に在り続けました。

権力者たちの野望が複雑に絡まりあった社会の中にあって、いかにして親鸞聖人の教えと本願寺、何より「開山聖人（親鸞）の御門徒」たちを護るのか。第八代蓮如上人、第九代実如上人、第十代証如上人、そして第十一代顕如上人（一五四三―一五九二）。どの時代の宗主も、片時もこの命題から目を離すことはできませんでしたし、もし一つでも舵取りを誤れば、たちまち本願寺や多くの門徒を危険にさらすことになるという極度の緊張状態の中に在り続けました。

世は「戦国時代」と呼ばれた乱世に突入します。そんな中、時代の申し子ともいうべき一人の風雲児が現れます。織田信長でした。あらゆる神仏を恐れないこの男は、天下統一のため、日本最大の教団として絶大な存在感を放っていた本願寺にも挑みかかってくるのでした。

本願寺宗主・顕如上人は長男教如上人（一五五八―一六一四）と共に、無数の門徒を戦場に駆り出すという決断をおこないます。以後、巨大勢力本願寺と織田信長は十数年におよぶ合戦をおこなうことになり、最終的にこの父子は対立し、ついに教団は分裂してしまうのでした。

本願寺と信長という対立軸をさし挟んで、戦国時代に登場する個性豊かな人物たちが躍動します。石山合戦を経て本願寺が東西に分派してゆくまでの物語です。

1 巨龍・本願寺

絢爛！ 史上初の大遠忌

永禄四（一五六一）年、三月十八日。この日から十日間、宗祖親鸞聖人の三百回忌を機縁として、本願寺史上初めての大遠忌法要が始まります。*

大坂本願寺の門前には早朝から数万人のすさまじい大群衆が押し寄せ、異様な雰囲気を形成していました。そして、いよいよ開門されるやいなや、一気に殺到する人々。堂内はもちろん、広大な境内、寺内町までたちまち老若男女で埋め尽くされていきます。大坂独特の感情豊かな気質もあって、とにかく賑やか。大声に混じってあちらこちらから笑い声が絶えません。

やがて、行事鐘のかわいた音が響きわたりました。満堂の堂内では、法要が始まると、一瞬の静寂ののち、どよめきが起こりました。まるで「浄土」が現出したかのような絢爛豪華な内陣の奥から、きらびやかな七条袈裟をまとった十九歳の若き宗主、顕如上人が入堂されてきたからです。堂内の興奮は最高潮に達し、地鳴りのような念仏の声に本願寺は包まれていきます。背筋の通った立派な体軀、舞台映えのする大きな顔に涼しい目元。若き宗主の姿に参詣者はみな惹きつけられたのでした。

そして、この日一番の歓声があがったのは、わずか四歳の長子、教如上人（この時は幼名の茶々麿）が登場した時でした。父によく似た、愛らしい稚児を、門徒群衆は大きな歓声と念仏の声で出迎えたのでした。こうして顕如上人を中心にした初の大遠忌法要は、門徒の熱狂的な興奮と感動のなか、見事な成功に終わりました。

戦国乱世の若き宗主

第十一代宗主の顕如上人。彼は本願寺が史上最も華やかだった時代の宗主であり、また本願寺の存亡に関わるきわめて困難な選択を無数に迫られた宗主でもありました。彼はポルトガル船によって種子島に鉄砲が伝えられた天文十二（一五四三）年に誕生しましたが、その後半生は、誕生と同時に伝来したこの鉄砲の轟音と共にありました。

父で第十代宗主の証如上人は、病によってわずか三十九歳でご往生されています。* 証如上人は、自分に残された時間があまりないことをさとると、乱世にひとり遺しゆく息男の得度を思い立ちます。しかも従来、本願寺の宗主は親鸞聖人にならって青蓮院（天台宗の門跡寺院）で得度を行っていましたが、証如上人は初めて本願寺で行うことを決断されます。いまや押しも押されもせぬ大教団、本願寺の次代の宗主が、もはや宗旨の異なる寺院で得度をする必然性はないと判断されたか、あるいは青蓮院と細かな手続きを踏む時間など自分には残っていないとみられたか……。

天文二十三（一五五四）年。ツクツクボウシが秋風を運んできた八月十二日（旧暦）。親鸞聖人の御真影（木像）が安置された御影堂で、しずやかに得度式は行われました。証如上人は最後に筆を染め、父として万感の思いをこめ、「顕如」という法名を書き与えると、その翌日にご往生してゆかれたのでした。

こうして、弱冠十二歳にしてこの大教団の法灯を継承した少年は、「戦国時代」と呼ばれた空前の激しい時代のうねりの只中に、身を置くこととなります。

顕如上人は、十五歳に達した弘治三（一五五七）年、室町幕府屈指の実力者、細川晴元からの縁談で結婚しています。申し込まれたのは、わずか二歳の時でした。相手は晴元の妻の妹で、左大臣三条公頼の三女、如春尼でした。ちなみに晴元の妻が長女で、次女は「甲斐の虎」こと武田信玄の妻でした。晴元は、如春尼を猶子（養女）にしていましたが、縁談を前にわざわざ南近江（おうみ）の大名、六角義賢（ろっかくよしかた）の猶子にして本願寺へ向かわせました。

ところで、この細川晴元。彼はかつて政敵を打倒するため、証如上人を頼って本願寺門徒を戦（いくさ）に動員させておきながら、抑制しかねて邪魔になるや、六角定頼（ろっかくさだより）と日蓮法華衆（にちれんほっけしゅう）をけしかけ、「寺中広大無辺、荘厳（しょうごん）ただ仏国（ぶっこく）の如し」（『二水記（にすいき）』）とうたわれた山科（やましな）本願寺を焼失させた張本人です。その六角定頼とは義賢の父。つまりこの縁談は、山科本願寺の焼失事件にきわめて関係の深い二人が、本願寺に再接近するべく画策したものなのでした。

――面従腹背（めんじゅうふくはい）、嘘と裏切り。昨日の敵は今日の友ですが、少しでも目をそらせば寝首を掻（か）かれる。これが戦国時代を貫いた精神であり、本願寺もまた、紛れもなくその渦中にいたのでした。

　翌年、顕如上人は、はやくも教如上人を授かりました。父とよく似た面長な子で、やがて落ち着いた聡明な子に育っていきました。年の差はわずかに十五歳の親子です。

　さらに翌年の永禄二（一五五九）年。顕如上人は正親町天皇（おおぎまちてんのう）の勅許（ちょっきょ）により門跡（もんぜき）となり、本願寺は門跡寺院となりました。日本最大の教団に、ついに最高位の寺格が与えられたのです。顕如上人は当初、固辞したとも伝えられますが、これは以前から本願寺が願っていたことでした。門跡寺院となることは戦国社会を生き抜くための大きな布石になると見られていましたし、当時の大多数の人にとっては本願寺の発展という線上における紛れもない慶事でした。逆に本願寺に期待されたのは莫大な経済力だったようです。

　この流れを承けての、翌々年の親鸞聖人三百回大遠忌だったのです。顕如上人は大いに面目躍如を果たしたのでした。

燃える！　寺内町と本願寺

　大遠忌の翌永禄五（一五六二）年、なんと寺内町が失火により焼失しました。

　寺内町とは、一般に真宗の大寺院を中心に形成された町をいいます。寺院を中心に碁盤目状に区画され、商人・職人の町屋や、参詣者のための宿などが密集して建ち並び、町の外周は自衛のために、頑強な高い塀や深い濠で区切られていました。まさに町全体が「宗教都市」として異空間を醸成していたのです。

　蓮如上人の山科本願寺の頃、すでに洛中と変わらないほど寺内町が繁栄したとの記録もあります。その後、本願寺が大坂に移ると、寺内町は諸税の免除に加えて、犯罪者の逮捕、周辺関所の通行料減額など自治区として多くの特権を獲得し、いっそう活性化します。そして、こうした特権をもつ「大坂並」と呼ばれた寺内町が、摂津・河内・和泉・近江・紀伊、さらに北陸や中国地方などにも次々と作られていったのでした。

本願寺の法要となれば、寺内町にも人が溢れました。本願寺では当時第一級の文化であった能楽・長唄・喫茶が、アトラクションとして惜しげもなく参詣者の前に登場し、寺内町では各町対抗の綱引き大会まで行われ、賑わいを見せました。蓮如上人が当初「虎狼のすみか」と評した大坂の地は、いまや「僧俗一体」となった一大宗教都市へと変貌を遂げていました。

その寺内町のうち二千軒が、一瞬で焼失したのです。軒数だけでもその繁栄が知られますが、町全体を深く大きな悲しみが包みました。

そして、その翌々年の永禄七（一五六四）年、十二月二十六日、今度は、なんと本願寺が周囲の九百戸と共に焼けてしまったのです。宣教師ルイス・フロイスは、「わずか三、四時間のことだった」（『日本史』）と記しています。

この年、すでに八歳の少年へと成長していた教如上人は、焼け跡に立ち尽くし、いつまでもくすぶる煙を、時を忘れたかのように眺め続けていました。あの無数の人々が楽しげに集っていた御堂。それが幻だったかのように目の前から一瞬ですべてなくなってしまう世の無常。彼の心に強烈にこの光景が焼き付けられたのでした。

ちなみに、この時は驚異的な速さで広大堅固な大伽藍を再建してみせ、翌年の報恩講には間に合わせたといいます。人々の「本願寺」に対する渇望と、凄まじい経済力は、戦国社会に改めて大きなインパクトを与えました。

日本の巨龍と、尾張の大うつけ

ところで、この時代に本願寺を歴史の表舞台へと押し出したのは、豊かな経済力と共に、他に例を見ないその特異な勢力形態でした。

通常、大名の力とは領土内に何万の民を有するのかというのが基本です。一方、本願寺は大名ではありませんから、特に領土があるわけではありません。ただし多くの大名の領内にそれぞれ膨大な数の門徒がおり、寺内町もある。この門徒たちが自らで、あるいは時に宗主の命によって、たびたび「一揆」と呼ばれる戦闘行為を行いました。その勢いたるや、ひとたび起これば怒濤の如く敵を圧倒し、蓮如上人の時代には、蓮崇の一派が実際に加賀の守護大名富樫政親を破ってしまい、加賀が真宗門徒の自治区となった事例もあります。これは特に「一向一揆」と呼ばれ、大名は恐れました。なぜなら、大名の命令のもと敵方へと向かっていた民衆の槍が、一瞬で翻り、我が身へ襲ってくるということだからです。

大名たちにとって、この圧倒的な力はうまく味方にすれば、いかなる戦局であっても一気に相手を飲み込んでしまう魅力的なものでしたが、操縦不能になった途端にみずからが転覆の危険にさらされました。

全国津々浦々に存在する無数の門徒と、多くの特権により保護された寺内町。これらを基盤とした圧倒的な経済力と武力を持ち、社会的には門跡寺院という最高位の寺格も有する。それがこの時代の本願寺であり、まさに日本全土に横たわった巨龍ともいうべき存在感を放っていたのでした。

ところで、本願寺が門跡寺院となった翌年、つまり三百回大遠忌の前年に、戦国社会の耳目を集める大事件が尾張で起こっています。

当時、おそらく天下最強の大名の一人であった今川義元は、駿河（現・静岡県大井川以東）を本拠として遠江（現・静岡県大井川以西）・三河（現・愛知県東部）、さらには尾張（現・愛知県西部）にまで支配を広げつつありました。そんな彼がみずからの軍四万人を率い、京を目指して西進する途中、尾張の桶狭間（現・愛知県名古屋市・豊明市）で、わずか「尾張半国」の支配者が率いる四千人程度の軍によって討ち取られたというのです。その支配者こそ織田信長でした。これにより、彼の名は一躍、戦国社会を駆け巡りました（ちなみにこの戦いで今川方から織田方へと移り、同盟関係を結んだのが松平元康こと後の徳川家康です）。

織田信長。幼い頃は数々の奇行で「尾張の大うつけ」と嘲笑されましたが、それは彼が、思考の中で「意味がない」と判断すれば、旧習にとらわれずに行動したからです。つまり当時のスケールではとても計り知れない人物でした。この男だけが本気で、戦国乱世の統一を目指し、またその実現を強く信じていました。

かつて六十数年前、大坂の地を見出された蓮如上人は、『御文章』の中でこうおっしゃっていました。

もし、少しでも世間の者たちの中に、この地（大坂）をねたみ、無理難題をつきつけられた時は、すみやかにこの地にこだわらず、出て行くがよい。（第四帖第十五通）

蓮如上人の危惧した未来は、すぐ眼前に来ていました。戦国日本に横たわる巨龍・本願寺と、旧来の価値観を踏み砕きながら躍進を続ける鬼才・織田信長。

両者の歩む道は、やがて交錯し、戦国史に残る大激突を繰り広げることになるのでした。

■コラム■

大遠忌の記録

本願寺派では、親鸞聖人が亡くなってから五十年ごとに行われる年忌法要を特に「大遠忌」と呼んでいます。

三百回大遠忌より前の大遠忌法要については、江戸時代に成立した書物にしか記録がありません。それらによれば、蓮如上人継職直後の二百回大遠忌には参詣者は数十人ほどであったのが、実如上人の時代の二百五十回大遠忌には多数の参詣者が山科本願寺の御影堂に充満したとされています。ただし後代の史料であり、伝承という性格でもあるので、そこから史実を確認することは困難です。一方、三百回大遠忌は当事者による詳細な記録が残されています。その意味で、初めて歴史上に登場した大遠忌法要なのです。

証如上人の継職

年少の顕如上人に後を託し、若くして往生した証如上人ですが、本人はさらに幼くして継職しています。

証如上人の父・円如上人（一四九一―一五二一）は実如上人の子で、後継者として実如上人を補佐していました。五帖八十通の『御文章』は円如上人による編集と伝える資料もあります（実際はおそらく実如上人の編集）。しかし円如上人は継職前の永正十八（一五二一）年に三十二歳で病没します。長子・証如上人は六歳でした。

そして大永五（一五二五）年、実如上人は、孫の証如上人に譲状を書き与え、自身の兄弟らに上人の補佐を依頼して、六十八歳で往生しました。こうして証如上人は、わずか十歳で第十代宗主を継職したのでした。

2　決断

三河のほころび

本願寺が焼失した永禄七（一五六四）年。三河の大名徳川家康の家中の者と寺内町で生じたいざこざがこじれ、前年から一揆が続いていました。当初は家康方にいた門徒が寝返り門徒方が優勢でしたが、結果的には家康に逆転され、敗北を喫したのでした。

すると家康は、驚異的な戦闘力を発揮した門徒勢に対し、三河で浄土真宗を禁教、門徒には改宗を指示し、寺院と寺内町は解体という徹底的な処分を行います。本願寺は思いの外、深手を負ったのでした。

この年、顕如上人の頭痛は続きます。原因は「百姓の持ちたる国」こと加賀でした。ここは蓮如上人以来の真宗自治区で、長年、越前朝倉氏と越後上杉氏という強力な両隣との小競り合いが続き、ついに朝倉・上杉連合軍による挟撃という危機を迎えます。顕如上人は全国へ支援を要請しますが、朝倉氏によって加賀半国を占領されてしまったのでした。

この時点で、顕如上人は、三河の件よりも、唯一の領土ともいうべき加賀こそ本願寺の生命線であると、重大にみておられました。

しかしながら徳川家康という一大名が徹底的に粉砕してみせた本願寺勢力と寺内特権。この件を、隣国尾張から興味深く観察していたのが、織田信長でした。三年後の永禄十（一五六七）年、信長は美濃を奪取して岐阜城へ拠点を移すと、「天下布武（武力を布き天下を統一する）」と宣言し、美濃・尾張に点在した寺内町を破壊し始めます。顕如上人は情勢を見誤ったのかもしれません。

足利義昭という男

応仁の乱を経て、幕府の実力者による覇権争いが激化するにつれ、将軍はすっかり傀儡（あやつり人形）となり果てていました。極めつけは、本願寺が火事から再建された永禄八（一五六五）年。第十三代将軍足利義輝が将軍による政治を取り戻そうと積極的に動いた結果、それを疎ましく思った家臣の松永久秀と、「三好三人衆」こと三好長逸・三好政康・岩成友通らに夜襲を受けます。このとき、義輝はみずから薙刀で応戦したそうですが、あえなく殺害されてしまったのでした。

義輝方から次期将軍と目されたのは義輝の弟、義昭でした。その頃、興福寺一乗院にて出家の身だった彼は、突然やってきた兄の側近に保護され脱出します。兄の件で説明を受け、自分が次期将軍候補であることを聞いた彼は、事情が事情だけに険しい顔を作ってはいましたが、内心は「こりゃ人生、分からんもんや」と、こみ上げてくる笑いを抑えるのに必死でした。

ひとまず越前朝倉氏のもとへ身を寄せた義昭は、名だたる大名へ手紙攻勢をかけます。とにかく書くわ書くわ。上杉謙信・武田信玄・北条氏康・織田信長・吉川元春・島津貴久など思いつくまま次から次へ。「自分を京都へ連れて、三好どもを蹴散らし将軍に就かせてくれ」と懇願するのです。しかし世は戦国時代。大名たちは隣国とにらみ合い、迂闊には動けません。

そんな中、義昭を奉じての上洛に名のりを上げる男が出てきます。織田信長でした。永禄十一（一五六八）年、信長は六万という空前の大軍勢を従え、近江の六角氏や三好三人衆など抵抗勢力をしりぞけ見事に上洛を果たします。* 彼は天下にその名を知らしめたのでした。

やっと将軍に就任し感極まった義昭は、わずか三歳年長の信長へ「御父　織田弾正忠殿」と感謝状を記し、信長が義昭のために二条に御所を建設して岐阜へ戻る際には涙を流し、門の外まで出てきて、最後は石垣に登り、遠ざかる信長が見えなくなるまで見送ったのでした。彼は信長とはまた違うタイプの激情家でした。

さてこの二人。性格のクセの強さはもとよりですが、目的も、あくまで「自分」が中心となった天下統一（幕府再興）をそれぞれ思い描いているのであり、合うわけがありません。翌年、信長が奔放な義昭を扱いかね、「殿中御掟」なる活動制約の掟を了承させた辺りから雲行きが怪しくなり、早くも二人の関係は冷え始めるのでした。

顕如上人の苦悩

顕如上人の中で、日に日に「織田信長」という男が膨らみ続けました。かつて見たことのないタイプで、まったく先が読めないのです。とにもかくにも動き続けて、敵を増やしながらも倒し続けて領土を拡大してゆくあの方法。自国では税を優遇し治安も安定させ、領民にすこぶる評判の高いあの政治感覚。遂には次期将軍を担ぎ上洛を果たしてしまう刮目すべき行動力……。群雄割拠した戦国大名が誰一人なしえないことでした。

永禄十一年、上洛の年。信長は、巨大宗教勢力、本願寺に対し五千貫を、また自治都市として繁栄の極みにあった貿易港、堺の町に二万貫の矢銭（軍用金）を払えと平然と要求してきました。本願寺の体力からすれば十分に支出しうる額ですが、顕如上人は悩みます。信長の最終的な狙いはどこにあるのか、と。

顕如上人はひとまず矢銭を払いましたが、一方の堺は、潜伏していた三好三人衆と組み、この申し出を断りました。すると信長は大軍で堺を取り囲んで圧力をかけ、ついに屈した堺は信長の手中となりました。強引な要求をぶつけて拒絶されれば、それを大義に出撃する。

信長の狙いは金ではなく、堺という場所であり、この町の機能を手中に収めることにあるのは明らかでした。

　であるならば、本願寺への要求もエスカレートし続けるはず、と顕如上人は読んでいました。なぜなら本願寺は、瀬戸内からアジア・ヨーロッパへ続く海を背に持ち、敵方の侵入へ絶対の強さを見せる要害地にあり、なにより全国無数の門徒の「核」だからです。「天下布武」をうたうあの男なら、近畿という日本の心臓部を制圧するのに、あらゆる面で本願寺を狙わないわけがない。ならばどこまでつきあうか。顕如上人は苦悩します。

　はたして……。予感は的中します。信長は矢銭の要求以降、何度も難題をかけ続け、本願寺は最大限に応じましたが、ついに本願寺（寺内町）へ退去を要請してきたのです。

　歳月を重ねて育んできたこの大坂（おおさか）の土地への思いももちろんある。しかしたとえこの地を離れても、また難癖をつけてくるのではないか。その結果、もし本願寺が破壊されることにでもなれば。もしこの教えが禁制（きんぜい）されるという事態にでもなれば……。美濃・尾張をはじめ他の寺内町も恫喝（どうかつ）し、意に沿わなければ躊躇（ちゅうちょ）なく破壊してきたあの男なら迷わずそれをやる。必ずやる。

「やはり、蜂起（ほうき）やむなしか……」

しかしながら同時に脳裏に浮かぶのは、全国から本願寺へ押し寄せ、聴聞しては涙を湛え、念仏するあの門徒たちの顔でした。あの「開山聖人（親鸞）の御門徒」たちを本当に戦場へ駆り出すのか……。

苦悩の末、顕如上人は腹を決めると、文机に向かい、しずかに筆を取りました*。

時は元亀元（一五七〇）年。顕如上人は二十八歳、教如上人は十三歳となり得度をおこなった年のことです。

開戦

その元亀元年。阿波（現・徳島県）へ逃げていた三好三人衆が権勢を取りもどすべく、七月、大坂本願寺にほど近い野田・福島に築城しました。ところで本願寺と三人衆は、顕如上人は否定していますが、旧来からの仲で、当時も通じていると噂されていました。現に信長もそう見ていたと足利義昭は語っています。

この三人衆の動きに当然、信長も即座に反応しました。すぐに大軍勢で出向くと、本願寺にほど近い天王寺へ本陣を構えました。本願寺と野田・福島城との相互を睨むような位置に陣取ると、先陣を、本願寺と野田・福島城との間に当たる天満（てんま）・川口（かわぐち）・渡辺（わたなべ）などへ配置したのです。本願寺とは至近です。

織田軍には、将軍足利義昭も慣れぬ甲冑（かっちゅう）姿で参陣し、雑賀衆（さいかしゅう）や根来衆（ねごろしゅう）など鉄砲を操る傭兵（ようへい）集団も加わり、総勢五万人前後の大軍勢が集結した九月十二日、ついに「天地も響くばかり」（『信長公記』）の凄まじい轟音（ごうおん）を立てて、大砲と三千挺の鉄砲が三人衆方へ一斉に火を噴き始めました。

わずか一万人前後の三人衆方では、もはや勝負にならず、彼らは和睦を申し入れますが、信長は許さず「攻め干せ」と指示します。

本願寺にはまるで無防備に背を向け、至近で猛攻を続ける信長。彼は本願寺勢力を所詮「長袖（法衣（ほうえ））の身」と侮っていました。しかしながら、その認識がまったく誤りであったことは、これから彼自身が嫌というほど知らされることになります。

夜半、本願寺に突如早鐘（はやがね）が響き渡りました。顕如宗主（しゅうしゅ）による本願寺挙兵の瞬間でした。信長方へ鉄砲が一斉発射され、信長方は仰天したといいます。

顕如上人はすでに各地へ「開山の一流が退転せぬよう身命（しんみょう）を顧みず駆け付けよ。応じない者は門徒たるべからず」と決意の檄文（げきぶん）を送り、反信長の大名たちへの根回しも完了していました。各地で門徒が蜂起し始め、反信長の大名たちも本願寺に呼応して動き始めました。

信長包囲網

本願寺が司令塔となり、同元亀元年の姉川合戦で信長から大打撃を受けた朝倉・浅井両氏、それに六角氏や近江・加賀の門徒軍が次々と合流し始めました。彼らは「反信長」という点で一致して大同団結し、包囲網を形成していったのです。

九月二十三日、この報を聞いた信長は、平定したはずの近江・京都が蒸し返されるのを恐れ、急ぎ大坂を後にして戻ります。すると信長の帰還を受けた反信長の軍勢は比叡山中に籠り隠れてしまいました。すると、攻めにくい信長は比叡山と交渉し、味方となるなら延暦寺領を返還するし、もし、そうはならずとも、せめて中立を保てと依頼した上で、拒めば一山すべてを焼くと伝えました。しかし比叡山はこれを黙殺し、朝倉・浅井方についたので、睨み合いは続き、十二月まで状況は膠着したままとなりました。

一方、顕如上人の檄に即応して信長を更に苦しめたのは、伊勢・願証寺を中心とした長島門徒勢でした。長島という地は、木曽川・長良川・揖斐川が織りなす川筋が大小無数の中州を形成するまさに要害地で、そこに多くの門徒である住人を抱えていました。尾張・美濃・伊勢を平定していた信長が、長島勢にだけは手を焼き、寺内町での自治を続けさせていたのでした。

信長は、長島にほど近い尾張の小木江城に、厚く信頼し、またかわいがってもいた実弟信興を置き、長島を警戒させていましたが、信長が大坂からの退却に手間取る隙をついて門徒勢は猛攻をしかけます。一気に城は陥落し、信興は自害します。このままでは本拠地岐阜までが危うい。――進退窮まった信長は、朝廷や足利義昭との屈辱的な和睦を受け入れ、年末にやっと岐阜へと帰還したのでした。

ただ、この誇り高い信長という男は一度引き下がっても、かならず立ち上がり、受けた屈辱を雪ぎ続けて上り詰めてきました。この時、比叡山の対応に対し、怒り心頭に発していた彼は、秘めた狂気をあらわにして日本中を戦慄させます。

信長は日本仏教最大の聖地・比叡山で、根本中堂をはじめ、各堂舎・社・僧房のすべてを焼き払い、逃げ惑う僧侶、女、子どもの首を切り、およそ三千人を無差別に殺害したのです。

この恐ろしき怪物と本願寺との戦いがさらに激化するのは、このすぐ後のことでした。

■コラム■

三好三人衆の動向

将軍足利義輝を殺害した直後、松永久秀と三好三人衆は三好家の後継者問題をめぐって決裂し、畿内一円を巻き込んだ抗争へと突入しました。このとき、東大寺の大仏殿が炎上しています。

織田信長が足利義昭を奉じて上洛したのは、この争乱の最中でした。久秀は信長に降伏しますが、いったん阿波へ追われた三人衆は信長への抵抗を続け、元亀元（一五七〇）年の石山合戦開戦へとつながっていきます。

その後、三人衆のうち岩成友通は信長方との戦いの中で敗死。ほか二人のその後は知られておらず、三好三人衆は歴史の表舞台から姿を消したのでした。

信長は仏法の敵だったのか

本願寺参戦の直前にあたる九月六日に、顕如上人から近江中郡の門徒へ宛てた消息では、

去々年いらい難題をかけ申すについて、ずいぶんの扱いをなし、彼方に応じ候といえどもその詮なく、破却すべきよし、たしかに告げ来り候。（千葉乗隆『顕如上人ものが

たり』八七―八八頁）と、信長が大坂本願寺の破却を通告してきたことが伝えられています。これは顕如上人の言い分であって、信長が積極的に本願寺と敵対しようとした記録はない、といった指摘もあります。しかし信長が尾張や美濃で寺内町を廃絶してきたことは事実であり、顕如上人の危機感には、政治的大義名分や過剰反応という評価では済まされないリアリティがあったといえるでしょう。

3 護るべきもの

開山聖人の御座所をまもれ！

そもそも本願寺とは、親鸞聖人の廟所（墓所）から出発したわけですが、第八代宗主蓮如上人は、本願寺を「開山聖人（親鸞）の御座所（お住まい）」と規定されました。とりわけ、本願寺をそのように意義づける象徴的存在が、御影堂に安置された「御真影」と呼ばれる親鸞聖人の木像でした。それはおそらく本願寺を、単に亡き親鸞聖人を偲ぶ場としてではなく、今現に聖人（御真影）にお会いできる場として、意味づけようとされたからに違いありません。この見方から言えば御影堂は親鸞聖人の居住空間であり、阿弥陀堂とはさしずめ聖人宅のお仏間といえましょうか。

織田信長から、「聖人の御座所」本願寺とその教え、そして門徒を護るため、第十一代顕如上人と長子・教如上人は懸命に立ち向かってゆくのでした。

強すぎた長島門徒勢の最期

さて元亀二（一五七一）年、比叡山を焼き討ちにした後、信長は、長島というわずか一地区の門徒勢に、なんと五万人で猛攻を仕掛けました。しかし水路・陸路と複雑な地形を巧みに活用する門徒勢の戦法にまるで歯が立たず撤退。重臣柴田勝家は重傷、氏家卜全は討たれてしまいます。

天正元（一五七三）年、信長は再び長島を攻めますが、これまた攻めあぐね撤退。とにかく長島門徒勢の強さは際立っていました。

翌年七月、信長は三たび長島を攻めます。この時は、織田軍が誇る有力武将がほぼ総動員され、陸と海の両面から総計七万の大軍勢で万全を期しました。さしもの強さを誇った長島勢も次第に追い詰められ、長島・篠橋・大鳥居・屋長島・中江の五箇所の城砦のうち、篠橋・大鳥居が陥落。残った三砦に、生き残った門徒勢は逃げ込みました。そこで信長は戦闘を休止。兵糧攻めを開始します。過密状態の砦から多くの餓死者が出始めた頃、長島では「もはやこれまで」と城主が籠城者の助命を嘆願し、ついに開城降伏を願い出ます。信長は了承しました。

ところが籠城者が城から出てきた途端、三千挺の鉄砲が一斉に火を噴きました。信長はいとも簡単に約束を反故にし、「撫で斬り」（殲滅）を指示したのです。これに激昂した長島門徒勢の七百人が抜き身の刀を手に、叫び声をあげながら信長軍を襲撃。壮絶な白兵戦の結果、庶兄の織田信広や弟の織田秀成など多くを失うことになった信長の怒りは頂点に達します。彼は残る屋長島・中江に幾重も堅牢な柵を設置させました。そしてあろうことか外から火を放ち、老若男女を無差別に二万人もの人々を焼き殺したのです。あまりに強すぎた長島門徒勢の最期は、歴史に残る凄惨なものとなりました。*

　この報が本願寺に届いた時、あまりのことに顕如上人や参謀たちが色を失う中、新門の教如上人は肩をふるわせ始めました。彼はすでに十七歳の青年へと成長し、父の参謀の一人としていつも戦況を冷静に見つめていました。しかしこの時ばかりは怒りと悲しみに我を忘れ、長島の門徒たちのことを思うと、どうしようもなく目から涙がほとばしりました。

「あの男、何ということを……」

　彼はこの時、長島門徒が本願寺へ向けた尊い志を、絶対に無駄にしてはならないと、いっそう強く「打倒信長」の思いを胸に刻みつけたのでした。

切り札、信玄

　反信長勢と死闘を繰り返す一方で、信長を悩ませたのは、相変わらず折り合いの悪かった将軍足利義昭でした。少し時系列は前後しますが、反信長の大名に手紙を送り不穏な動きを続ける義昭に、信長は元亀三（一五七二）年、「十七箇条の異見書」を提出します。それは施政や人格に至るまで批判した上で、義昭への最後通牒を突きつけるものでした。両者の決裂は決定的でした。

そんな中、遂に「最強」の呼び声も高い「甲斐の虎」武田信玄が西上を開始します。義昭の要請でもありましたが、信玄は顕如上人と妻同士が姉妹であり、かねて本願寺とは同盟関係にありました。彼こそ、顕如上人を司令塔とする信長包囲網の軍事的切り札でした。信玄はまず徳川家康と遠江国の三方ケ原（現・静岡県浜松市）で激突しますが、噂にたがわぬその強さに、家康が脱糞しながら逃げたと伝えられる話は有名です。しかしそれから間もなく、なんと信玄は、病により急死したのです。一方で上洛してこない信玄を待ちきれず、義昭は宇治の槇島城にて三千人余りで挙兵します。信玄の死は武田軍の最高機密でしたが、信長は「武田の上洛はない」と見抜き、すぐに自ら上洛し将軍御所を焼き払い、槇島城へ向かうと鎧袖一触、義昭を降参させます。義昭は殺されなかったものの京都追放となり、道すがら「貧乏公方」と民衆に嘲られたそうです。彼の奔放さに人心も離れていたのでしょうか。ここに室町幕府は終焉を迎えたのでした。

信長、大坂へ

乱世を躍動する信長の動きに、本願寺による堅固な包囲網が破れ始めます。信長はついに大軍を率いて大坂へ侵攻、本願寺と激突しました。本願寺方では、坊官で軍事参謀の下間頼廉と、鉄砲を操る傭兵集団「雑賀衆」の頭領、雑賀（鈴木）孫市とが「大坂左右の大将」として獅子奮迅の活躍を見せます。天王寺での激闘などをはじめ、信長軍と一進一退の攻防を続けました。

しかし、天正四（一五七六）年、織田軍は本願寺のぐるりに十箇所あまりの砦を築きます。これにより、本願寺は史上稀な四年にもわたる籠城戦へ突入することになります。寺内町に数万人を抱えて、これだけ長期にわたる籠城戦を可能にしたのは、本願寺の背後、大坂湾から、中国地方の覇者で当時最強の水軍を擁した毛利氏の後方支援があったからでした。この同盟成立には信長を憎む足利義昭も暗躍したようです。当初、信長も先読みして大型の軍船安宅船を十艘、小型軍船三百艘を配置し海上を全面封鎖しました。しかし毛利軍はそれを上回る兵糧船六百艘、軍船三百艘という大船団で登場すると、焙烙火矢（爆発炎上する火矢）を次々に打ち込みつつ、巧みな海上戦を展開します。見事、封鎖網を突破して本願寺に大量十万石もの米を届けると、寺内町は沸き返り、大歓声があがりました。

しかしその二年後の天正六（一五七八）年。突如大坂湾に、六つのどす黒い鈍色の「鉄塊」が出現します。それは信長が命じて造らせた鉄甲船でした。近づいて来ると、船というにはあまりにも桁外れの巨大さに誰もが圧倒されました。焙烙火矢も鉄砲もあざ笑うかのように跳ね返し、逆に鉄甲船に装備された大砲は圧倒的な破壊力を発揮しました。この船により毛利軍からの支援は絶たれ、事実上、本願寺の命脈は尽きました*。

それぞれの道

天正八（一五八〇）年、正月。顕如上人は静かに考えていました。あの蜂起からすでに十一年目。この間に、数十万人もの門徒が、念仏しながら必死に恐怖を内に隠し込み、大切な誰かの名をつぶやくと、意を決して敵方へ突っ込んでゆきました。そうして浄土へと先立った父を、夫を、友を憶い、残された数百万人が涙のなかにまた念仏しています。最後の頼みだった上杉謙信も病死。籠城戦ももはや限界。顕如上人は、正親町天皇から届いた、「講和の道を探れ」との勅命を受諾することにしました。

この勅命は信長がはたらきかけたものでしたが、本願寺が和睦の意思を表明した以上、後は信長の出す条件次第となります。両者のすり合わせを経て、信長は七月までの大坂退去を主な条件に、門徒衆の総赦免、加賀二郡の返還などを提案してきました。

さて、この案が顕如上人から本願寺首脳部へ報告された時のこと。重たい静寂を一人の鋭い声が切り裂きました。

「あの卑劣な男を、本当に信用なさるおつもりですか」

二十三歳の青年となった新門教如上人でした。彼は続けます。「それにもし、今すごすごと撤退されるのなら、野田・福島のあの時から、戦わなければよかったのではないですか。これまですでに、この《聖人の御座所》本願寺とみ教えを護ろうと、千万の御門徒がその身命を……」教如上人は声を詰まらせました。「……その身命をかえりみず、志を果たし遂げて参りました。そのお命をどうお考えですか」――現宗主の意向を、新門とはいえ真っ向から衆人の面前で否定することは明らかな非礼でした。しかしこの時ばかりは、「そうだ」「そうだ」と教如上人に追随する賛同者も多く出ました。あまりの長きにわたった争いの決着点は容易には見いだせませんでした。しかし最後は顕如上人の意向が重んじられ、この条件で講和を受諾することになりました。

しかし教如上人の腹は決まっていました。彼は宗主の決断を覆し、信長たちの馬の蹄でこの「聖人の御座所」を踏み荒らされるわけにはいかないと大坂籠城を呼びかける手紙を方々へ認めたのです。これを世に「大坂抱様」と言います。顕如上人はこれを知ると、大坂抱様は宗主の意向ではないと更に手紙を送りました。顕如上人は、信長の性格から考えて、現時点で本願寺に表裏ありと思われては本当に取り返しのつかない事態になると焦られたのでしょう。彼は教如上人を義絶とし、予定を繰り上げ四月九日に御真影と共に大坂を退去。一路、和歌山鷺森に向かいました。一方、支援者と共に教如上人は必死の防戦を続けられましたが、万策尽き果て、八月二日ついに大坂を退去します。

その晩のこと。本願寺および寺内町は炎上しました。信長軍の失火とも、教如上人の指示だったとも噂されます。教如上人はその様子を見て、幼い頃、華々しくおこなわれたあの大遠忌と、本願寺が焼失した時のことを思い出されていました。すでに御真影という主なき本願寺。

「あの者どもが侵すなら、いっそ灰燼に帰せよ」

彼は踵を返すと、大坂の地を後にしたのでした。少年期からひたすら戦いの中で育った教如上人は、この後しばらく旅に出られました。＊

二年後。天正十（一五八二）年、本能寺の変。あの信長は没しました。本願寺はその後、羽柴（豊臣）秀吉の指示により、貝塚、天満と場所を転々と移します。教如上人は信長の死によって義絶が解除され、その後は千利休と昵懇となり秀吉方との調整につとめられました。

しかし父と子の間に生じた亀裂は、なお大きなしこりとなって残っていました。

天正十九（一五九一）年、秀吉の指示により、本願寺が京都堀川六条へ移転します。その翌年、顕如上人は五十歳にて激動の生涯を終えられました。そして、三十五歳の教如上人が宗主となられました。

ところが翌年、顕如上人の妻、如春尼が秀吉を訪れ、一通の驚くべき書状を明らかにします。それは天正十五（一五八七）年の日付で「後継は三男准如に譲る」と顕如上人が記した譲状だったのです。時期としては天満に本願寺が移った翌々年、准如上人はその時点で得度もしていない十一歳の少年です。信じがたいことですが、それが顕如上人の下した最終判断でした。秀吉方はこの書状を吟味の上認め、教如は十年間宗主を務めて准如へ譲るようにと指示がなされ、上人もそれを受け入れました。ところが納得のいかない教如上人の側近達がその譲状を偽書だと騒いだため、秀吉は、もしその証拠を出せないならば即刻教如は辞職、准如を継職させるよう命じます。結果、本願寺の第十二代宗主は准如上人となりました。

しかし教如上人こそを次代（第十二代）の宗主と仰ぎ、その人格に宗主たる大器をみた者も実に多くいました。慶長三（一五九八）年、秀吉が没し、新たに時代がうねる中、なお支持者の多い教如上人と徳川家康が接近。慶長八（一六〇三）年、烏丸六条に教如上人と彼を支持する一派が移ります。これにより事実上、本願寺は二分され、堀川通り側が「西本願寺」（本願寺派）、烏丸通り側は「東本願寺」（大谷派）と呼ばれるようになります*。

「戦国時代」という強烈な時代を、大きな責任を抱えて生きた顕如上人と教如上人。いつだって二人の思いは一つ「護法」でした。共に無数の御門徒と「懸命」に駆け抜けていった結果、両者はそれぞれの道へ進むことになりました。

はたして正しい決断とは何だったのでしょうか。

■コラム■

長島一揆と戦った織田方の武将

氏家卜全（生年不詳）は美濃の斎藤道三・義竜・竜興の三代に仕え、同じ家臣の安藤守就・稲葉一鉄と共に「美濃三人衆」と呼ばれました。彼らは織田信長が美濃を攻略する際に内通し、以後信長に仕えました。ちなみに、三人衆らに離反された竜興が逃亡した先が長島でした。

長島への総攻撃において海上からの包囲を担い、一揆殲滅後に長島城主となったのが滝川一益です。一益は越前一揆の殲滅や大坂湾の海戦など対本願寺戦で主要な役割を果たしますが、本能寺の変後は、柴田勝家と結び羽柴秀吉と戦い敗れ、また小牧・長久手の戦いで秀吉方として徳川家康と戦いますがここでも敗れます。晩年は越前に蟄居し、当地でその生涯を終えました。

信長に背いた大名たち

本願寺の籠城から約二年、それまで信長に恭順していた播磨の別所長治が離反、三木城（兵庫県三木市）に籠城します。しかし秀吉の兵糧攻めによって歴史に残る悲惨な籠城戦となり、ついに開城。将兵の助命を条件に、長治は切腹しました。

長治に呼応するかのように信長に反旗を翻したのが本願寺攻めの主力だった摂津の荒木村重です。村重は有岡城（兵庫県伊丹市）に籠城しますが、苦戦した村重が脱出すると城は落とされ、村重の二十一歳の妻ら一族六五〇余人が処刑されました。

こうして合戦の末期には本願寺の孤立はいよいよ決定的なものとなっていったのでした。

大坂と各地の状況対比

反信長諸大名	大坂本願寺	各地の一揆
	開戦	
		長島蜂起
	和睦①	
		長島攻め①
	再度挙兵	
武田信玄死亡		
足利義昭追放		
朝倉・浅井滅亡		長島攻め②
		長島壊滅
	信長出陣	
		越前壊滅
	和睦②	
	信長出陣・籠城開始	
	毛利水軍救援	
別所長治離反		
上杉謙信死亡		
荒木村重離反		
	毛利水軍敗北	
荒木村重逃亡		
別所長治切腹		
	顕如退去	
	教如退去	

大坂退去後の教如上人

天正八年八月に大坂を退去した教如上人は、数人のお供と雑賀（現・和歌山市）へ向かいました。顕如上人と面会もかなわず、義絶は許されぬまま、十一月頃旅に出ています。大和（現・奈良県）、美濃（現・岐阜県）、越前（現・福井県）を経て、越中（現・富山県）に入った頃、信長が武田勝頼を滅ぼすと、毛利氏を頼り安芸（現・広島県）へ向かいました。

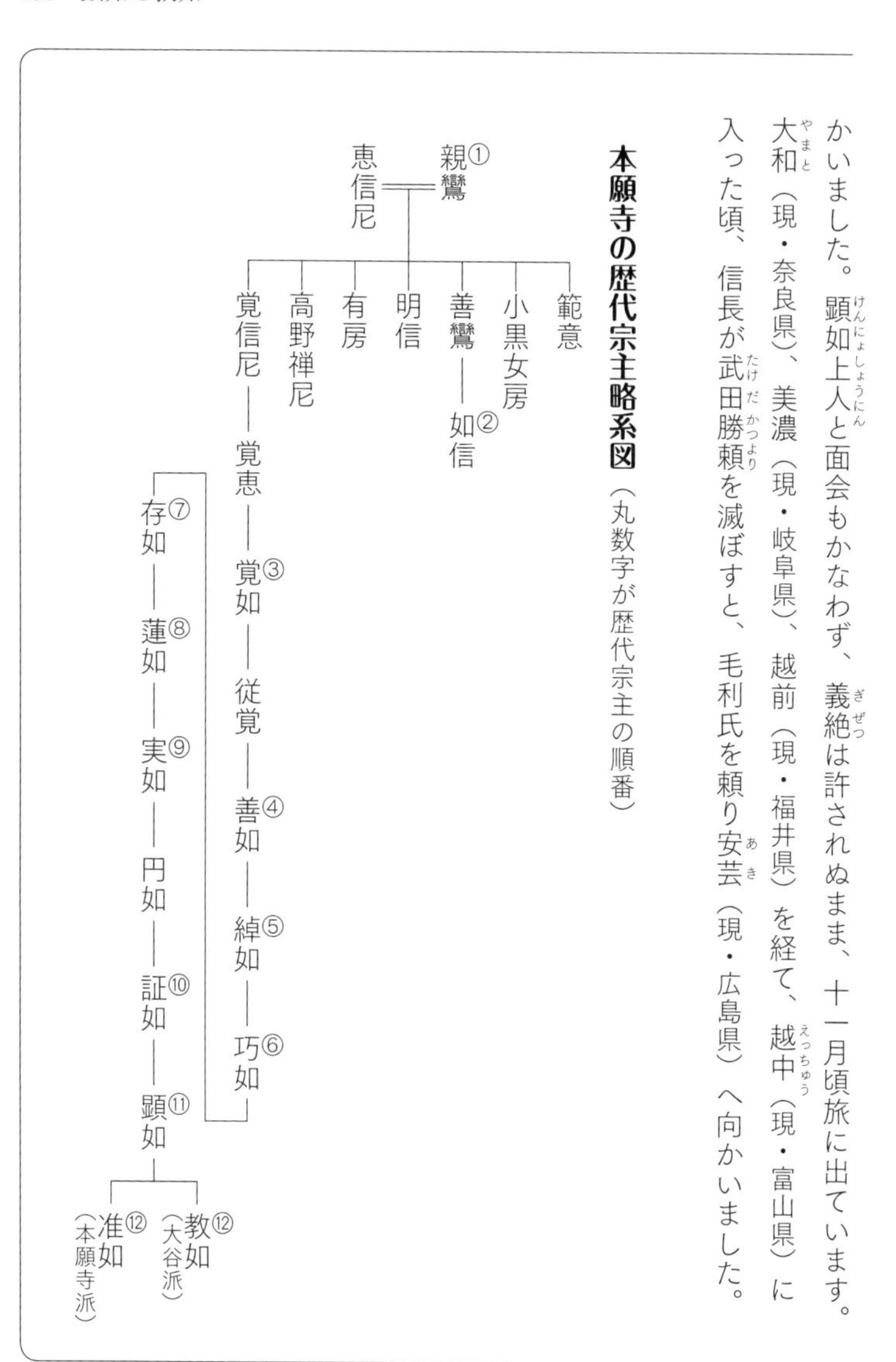

本願寺の歴代宗主略系図（丸数字が歴代宗主の順番）

智洞

■智洞とは

西本願寺に、かつて「能化」という役職が存在しました。これは本願寺の学林（学僧育成学校、現・龍谷大学）の統括責任者であり、いまで言えば龍谷大学学長、勧学寮頭、安居綜理を兼ねたような重職でした。歴史上、八名が存在し、最後は智洞（一七三六―一八〇五）という人物でした。

――異安心。「聖人一流」（親鸞聖人から一つの流れ）をかかげる浄土真宗において、宗祖親鸞聖人と「安心（信心）が異なる」と評されることは、真宗僧侶としての根底が崩れるほどにつらい響きを持ちます。

本願寺教団は、これまでに何度か法義の理解をめぐって論争を経験しています。中でも江戸時代におこった「承応の鬩牆」「明和の法論」「三業惑乱」という三つの論争は有名です。どれも「学林」対「地方の学僧」という構図で論争がおこなわれ、前の二つは一応、学林側を優勢として落着したといえます。

しかし最後にして最大の論争となった三業惑乱は、明確に地方の学僧のほうが正当な理解と判定され、宗門の教育機関・学林の長である能化が異安心と判断され、敗れるという衝撃的な結末をむかえました。その時の能化こそ智洞なのでした。

1　居場所

異安心の寺の子として

　この智洞という人物の青年時代は、あたかも頭上を分厚いなまり色の雲が覆っているように、いつも心晴れず、苦しいものでした。それは当時、京都で流行していた「土蔵秘事」集団の首領として、彼の祖父（父とする史料もあり）が本山から摘発されたからです。土蔵秘事とは、浄土真宗に古くから伝わる「異安心」で、密室での身心への圧迫を伴う儀式を通して信心を獲得させせようとする、秘密結社のような性質をもった信仰です*。本山から派遣され、祖父の尋問に当ったのは当代随一の学僧であった僧樸*（一七一九―一七六二）をはじめとする面々でした。

　真宗の歴史を見てみると、親鸞聖人がご往生されてすぐに、聖人とは異なる理解をもって教えを説き広める者が多く生まれたことから、

　一室の行者のなかに、信心異なることなからんために、なくなく筆を染めてこれをしるす。（『註釈版』八五四頁）

と後序（あと書き）に記され、かの『歎異抄』が誕生しています。以来、様々な異安心が生れてきましたが、はっきり言えるのは、その信心が開く宗教的世界は、どれも親鸞聖人が開かれたものとはまったく別物だということです。智洞にとって、自らの祖父が率いる集団が異安心であると認定されたという事実は、その心に深刻な暗い影を落としたことに違いありません。

しかし生来、本を愛したこの青年には、明晰な頭脳が備わっていました。彼はやがて学林に属し、皮肉にも彼の祖父を尋問した僧樸の門人となりました。とはいっても僧樸がすぐに往生したため、彼はそこでわずか数年しか過ごしていません。ただ、彼にとってはそれでよかったのかもしれません。おそらく、自分の祖父を異安心として糾弾した人物の門下に、居場所はあまりなかったはずでしょうから。

そして僧樸の門下を離れた智洞は、生涯の師とよべる人物と出遇います。その人物の名は功存（一七二〇―一七九六）といいました。彼との出遇いが智洞の人生に大きな転機をもたらしたのでした。

功存の弟子として

当時、本願寺を悩ませていた問題の一つが、北陸越前の異安心でした。それは龍養という人物が説き広めていたといわれ、いっぱんに「無帰命安心」と呼ばれました。無帰命安心とは、『無量寿経』における「阿弥陀如来が十劫の昔に成仏している」という教説を「ああ」と信じるだけでよい、いわばその内容を知的に理解するだけで救いが完了するという、偏った教えだったといわれます。

この異安心を糺すために本願寺が派遣したのが、当時学林で四十三歳という壮年期を迎えていた、同じく越前出身の功存でした。宝暦十二（一七六二）年、彼は北陸へ出向くと見事に龍養を糺し、さらには越前国中の僧侶たちを集めて、二日間、計四座にわたって総括と法談をおこなったのでした。この時に彼がもちいた論法こそ「三業（欲生）帰命説」です。

この説について、いまごく簡単に紹介しておきますと、「帰命」とは、身体を仏に正対させ（身業）、蓮如上人の作といわれる『改悔文（領解文）』の通りに、心に「たすけたまへ」と願生（欲生）の思いをなし（意業）、口にもそれを言上する（口業）という、身・口・意の三業を揃えておこなう必要があるのであり、それがあって初めて阿弥陀如来の救いが確定するといった考え方でした。この説はあたかも、龍養によって振れすぎた針を適正な位置へ戻そうとするあまり、逆方向へ力がかかりすぎたような、これまた極端に偏った説でした。

しかし、とにもかくにも北陸の異安心問題は平定され、功存は、本願寺で大絶賛を浴びます。彼はいまや英雄でした。すると、こうした上げ潮にのって、この時の法談記録を『願生帰命弁』と題して出版しようという動きが出始めます。当時、僧樸などの学林の一部の重鎮たちは内容に対する危惧を表明していたのですが、結局、この本は宝暦十四（一七六四）年に刊行されてしまいます。学林は、この年に「明和の法論」が勃発したこともあり、やがてそちらの対処に追われていくのでした。

明和の法論とは、先代の能化・法霖の所説に対し、その弟子であった智暹が猛烈な批判書を出版したことを発端に、学林側が即座に反論して起った論争です。特に中心的なテーマとなったのは、本尊であるお立ち姿の阿弥陀如来をどう教学的に位置づけるのかという点でした。やがて双方は本願寺で対峙しましたが、この時、当時の能化であった義教を支えるべく、学林側の中心的論者として前線で活躍したのが功存を中心とする数名でした。そしてその末席には功存が抜擢した智洞も座り、彼もまた活躍したのでした。

この論争が終ってすぐ、能化・義教は往生しました。明和(めいわ)六（一七六九）年、次代の能化を拝命することになったのは、功存でした。

さて、学林が能化・功存を中心とした体制を築く中、智洞も生え抜きの英才として頭角を現してゆきます。安永(あんえい)二（一七七三）年、彼は、四十歳を前に『般舟三昧経(はんじゅざんまいきょう)』を学林の秋講(しゅうこう)で講じます。以来、安居(あんご)（学林でおこなわれる一定期間の講学）にたびたび登場し、やがて年老いた能化・功存の代講(だいこう)をつとめるまでになってゆきました。*

また智洞は、いつ頃からか、そうした環境に身を置く内にある大きな構想を抱くようになっていました。それは日本の諸寺社に蔵する仏教典籍をできうる限り収集し、この学林を宗(しゅう)学(がく)研究のみならず、仏教の研究機関として日本の最高峰に押し上げることでした。彼の構想は、四十代の後半頃になってようやく始動します。おそらく相当の人員を配して行われたであろうその調査により、多くの寺社に伝わる膨大な貴重書がしだいに学林に集められてゆきました。その調査記録の一端が、『龍谷学黌内典現存目録(りゅうこくがっこうないてんげんぞんもくろく)』全五巻（一七八三年）として龍谷(りゅうこく)大学(だいがく)図書館に現存しています。龍谷大学図書館は現在、およそ二三〇万冊を蔵していますが、仏教書の蔵書数から言えば世界最大規模を誇っています。その礎(いしずえ)は間違いなくこの智洞が築いたものといえます。

火の手あがる

ところで『願生帰命弁』出版以来、いまや能化となった功存が、定説のごとく説き続ける三業帰命説について、これを危惧する学者が他にいなかったわけではありません。広島で甘露社という私塾を営んでいた慧雲（一七三〇―一七八二）は、このことを最も危惧した人物の一人でした。かつては彼もまた学林で僧樸門下の英傑として名を馳せた人物であり、広島を現在の「安芸門徒」の名で知られるような、日本屈指の真宗王国へと押し上げる原動力となった僧でもありました。* 慧雲にとって、功存が能化に就任したことは衝撃でした。これによりやがて必ず三業帰命説に対峙する日が来ることを確信し、この私塾にて弟子と共に、そのための研鑽を積んでいたのでした。

余命いくばくもないことを悟った慧雲は、ある時、塾生全員を集めました。そして自らが若年から育てあげた大瀛（一七五九―一八〇四）という、まだ二十歳そこその青年を前に引っ張り出すと、「今から自分が三業帰命説を立ててみせるから、論破してみよ」と告げたのでした。普段、慧雲は温厚で、人の善行を聞けば目を輝かせて喜び、人の陰口が始まれば

「でもこんな面もあるぞよ」と長所を挙げて褒め、なお悪口が続くようなら寝たふりをするような人物でした。そんな慧雲が、この時ばかりは鋭い眼光を向け表情も別人のようであり、全身から凄まじい気を放っていました。かつて学林で僧樸門下に「その人あり」と言われたこの英才は、様々な聖教を引き、あらゆる論法を駆使して、見事なまでに三業帰命説を立てていきました。ところがこの大瀛という青年は、師が巧みに立てていく説を次から次へと潰してゆき、完膚無きまでに、見事に論破してみせたのです。

　その時です。慧雲は笑みをこぼすと、やおら立ち上がって塾生全員を見渡しました。そして、彼らに「さあ、これで正義に勝る邪義というものはないということがわかっただろう」と告げたのです。慧雲のことをじっと見つめる塾生たちに、彼は力強く「必ずや来るであろう三業帰命説と対峙する日に向けて怠ることなく研鑽しなさい。聖人一流の安心（信心）をどうか守っておくれ」と励ますと、最後に微笑まれ「わしはこれで安心してお浄土へ参ろう」とぽつりと言われたのでした。

　この時、塾生たちは、師の熱き思いに触れ、みな涙して打倒三業帰命説の決意を固めたのでした。まもなく慧雲は往生し、大瀛を中心に安芸の学僧たちは大きなバトンを引き継いだのでした。

はたして、天明四（一七八四）年、ついに三業帰命説に対する批判の火の手があがり始めました。西本願寺に隣接する興正寺（現・興正派本山）の学僧大麟が『真宗安心正偽編』の中で『願生帰命弁』を異義の「邪源」として厳しく批判したのでした。『願生帰命弁』刊行から、実に二十年の歳月を経ていました。そして、その三年後、今度は東派（現・大谷派）の宝厳が『興復記』という書物を刊行し、たいへん鋭い舌鋒を『願生帰命弁』に向けました。更に翌々年、宝厳は学林へ質問状を送り、その返答がないとみるや、今度はその質問状を『帰命本願訣』と題してまたもや刊行したのでした。ここにおいてようやく学林からも、功存の高弟たちが、次々に反論書を著して応戦し、論争へと発展してゆくのでした。

そうした中、寛政八（一七九六）年、三業帰命説を旗印に、学林を三十年近くにわたって強力なリーダーシップで率いていった功存が亡くなります。

次代の能化を拝命したのは、功存がその才能を深く愛した智洞でした。かつて「異安心の寺の子」として青年時代を過ごした彼は、功存の活躍と重なるように学林をのぼりつめ、ついに押しも押されもせぬ第一人者になったのでした。彼は三業帰命説を守り立てることこそ、師恩に報いる道と見定めて歩み出します。しかしそこには、あまりにも過酷な結末が待ち受けているのでした。

■コラム■

土蔵秘事

「土蔵秘事」という呼称は、土蔵の中などで秘密の儀式が行われていたことに由来しています。その背景には、親鸞聖人直伝の教えは、本山ではなく外部の人びとによって密かに受け継がれてきたという伝承がありました。江戸の中頃にはそうした集団が各地に存在していました。

視界を閉ざした状態で、救いを求める言葉を何度も繰り返させ、精神的肉体的に追い込んで一気に視界を開放する。すると尊前に明々と灯された光で目が眩み、あたかも仏の光明に包まれているような感覚にとらわれる——。一説には、このような儀式が行われていたといわれています。

僧　樸

土蔵秘事の一件から、僧樸を「本山のエリート学僧」という一面的なイメージで見てしまうのはもったいないことです。彼は貧しさの中で身を削るように苦学し、四十数年という短い一生をご法義のために燃やし尽くした人でした。

身だしなみに無頓着で、能化・義教の学説にも遠慮なく意見するような型にはまらない行動が伝えられていますが、すべてはご法義を第一に思えばこそ。義教も含め、僧樸の学識と人柄には多くの人が惹きつけられ、僧樸が亡くなった時には、第十七代宗主法如上人は慟哭したと伝えられています。その門下からは、空華学派の祖・僧鎔、本願寺の通史や事典をまとめた宗門史家にして宗学者の玄智、そして安芸の慧雲といった、多大な功績を残した人々が輩出しています。

学林関係者の生没年図（＊は能化就任年）

人物	生年	能化就任年	没年
僧樸	1719		1762
義教	1694	1755*	1768
功存	1720	1769*	1796
智洞	1736	1797*	1805

安芸門徒

安芸国（現・広島県）に本願寺の教線が本格的に展開したのは室町時代です。特に毛利氏との関係は深く、「顕如と教如」篇で見てきたように、石山合戦では毛利水軍が本願寺を支援しました。

　にもかかわらず、み教えは安芸の人々の心に必ずしも届いてはいませんでした。そこで、慧雲は国内をめぐり精力的な教化を行いました。家に神棚を祀ることの誤りを説き、次々に撤去させ、「神棚おろし」と呼ばれたことは特に有名です。こうした、慧雲らの強い熱意によって育まれたのが「安芸門徒」だったのです。

2　師恩に生きる

智洞と大瀛

寛政九（一七九七）年、智洞は能化に就任するや、師説である「三業（欲生）帰命説」（願生帰命説）に対してくすぶり始めた火の手を鎮火すべく、早速、強硬策に出ます。

彼は、まず入門者の規範として、三業帰命説を巧みに規律として織り込んだ『入門六条』なるものを制定します。これは師の功存が、かつてある法論に対して下した裁断を根拠にしたものでした。そして、彼は能化として改めて安居に登壇するや、浄土真宗の真実教である『無量寿経』を講じ、三業帰命説を大々的に打ち出したのでした。しかも、それは従来の三業（欲生）帰命説のように、浄土真宗の信心とは欲生をもってすべきだとするのみならず、信楽で語る信心には四つの過失があるとまで明言した過激なものでした。*これは安居大衆に少なからず衝撃を与え、安芸の大龍は帰国すると、このことをただちに大瀛に報告しました。大瀛は愕然とし「宗祖の真宗、地を払わんとするか（親鸞聖人が明らかになさった浄土真宗の立場を無きものにしようとするのか）」と語ると、涙したといいます。

ところでこの時、大瀛は病床に伏していました。齢三十を数えたあたりから全身に痛みが襲う難病に冒され、すでに十年近い月日が流れていました。学者の中には結核性の病ではなかったかと推測した方もあります。彼のこれからの打倒三業帰命説への歩みは、こうした病状が悪化の一途をたどる中で行われていったものであることを、どうか踏まえて頂きたいと思います。

実は大瀛にとって智洞は、かつて学林で教えを受けた先生の一人でした。そのこともあってか大瀛は仮名を用いて、智洞の理解について言質をとるため、四箇条の質問状を認めると上洛する大龍に託したのでした。これに対し学林は、智洞門下の一人が質問状にそのまま朱書きした簡単な返答（智洞校閲済み）を寄越してきました。大瀛を中心とした安芸の学僧は、これを確認すると綿密な検討を加えて、寛政十（一七九八）年、『十六問尋』なる質問状を作成し、学林へ送付したのです。しかし学林は受け取りの書簡のみを送って、内容は一切無視したのでした。

それでも大瀛は手を休めることなく、一篇の本を執筆し始めます。そこにはこれまで師の慧雲や仲間と共に積み上げた研鑽の成果が、一気に注ぎ込まれていきました。当初『浄土真宗金剛錍』と題されたこの本は、さらに三度の改訂を経て『横超直道金剛錍』（全三巻）と題されました。*この本こそ、のちに三業帰命説にとどめを刺すことになる、真宗史に燦然と輝く一篇です。病状が悪化する中、彼が何度も気絶を繰り返しながら、それでも朝鮮人参をかじりつつ執筆を続けたことは有名な話です。

一方、智洞は強硬策を続けます。彼は安居本講の翌年（一七九八）、蓮如上人三百回忌の席上で、病臥の第十八代宗主文如上人にかわって鴻の間（対面所）で法話を行いました。ところが、これがまた極端に三業帰命説を出したものでしたので、さすがに内容への不審書がいくつか提出され、智洞は返答に追われています。考えてみれば、この頃の智洞のやり方は、功存がぎりぎりの所で保っていたバランスを大きく踏み外した、明らかな暴走だったように思います。こうした混乱の噂はすぐに全国へ広がり、学林への懸席者（参加者）は年々減少しはじめました。火を消そうと強く吹けば吹くほど、火が拡大してゆく。彼の能化としての苦悩の日々は続きます。

追い詰められて……

さて、こうした混乱のさ中、寛政十一（一七九九）年、文如宗主が五十六歳でご往生され、弱冠二十二歳の第十九代宗主本如上人が継職されました。この若い宗主には、先だった父・文如宗主の弟、顕証寺法真と毫摂寺法広が、精力的に補佐に当たりました。彼らは学林の立て直しを図るべく、智洞のもとに、彼と旧知であり、法真とも懇意にしていた道隠（一七四一―一八一三）を遣わせました。これは昨今の混乱の原因は智洞にありと判断されたためで、より穏当な方法を模索すべく会談がもたれたのです。

道隠が、蓮如上人の用いる「たのむ」とは「信」と同義かと尋ねた所、智洞は同義ではあるが、時に信のみでは足らず、やはり「たのむ」を用いるべきだといいます。本来「たのむ」とは「まかせる」「あてにする」等の意味で、親鸞聖人以来蓮如上人もその意味で用いられてきました。しかし江戸時代の智洞当時には「たのむ」の語には、すでに「懇願する」「願う」の意味が強く含まれるようになっていました。だから欲生帰命説こそ蓮如上人が打ち立てられた功績だと固く思い定めている彼にとっては、どうしても「たのむ」でなくてはならないと言っているのです。結局、智洞は巧みに言い逃れて、会談は決裂しました。

しかし翌寛政十二（一八〇〇）年、次に法真・法広の二人は、智洞の幼なじみであった春貞（一七四〇―一八〇六）を遣わせます。智洞は彼と計十三回もの会談を行うことになりますが、そこでもやはり「たのむ」と「信」とを同義と認めるかと迫られました。当初、智洞は「たとえ能化職を追われても、身を八つ裂きにされようとも改めることはできない」と強弁しましたが、春貞の巧みな論法の前に最後はしぶしぶ認めたようです。それでも彼は五日間、腹痛を理由に同意書に署名しなかったといいます。

そしてこの年の五月、学林を仰天させる出来事が起こります。いくら催促しても学林が『十六問尋』への返答を寄越さないため、ついに安芸の学僧たちが、大瀛畢生の大書『横超直道金剛錍』の出版を企図したのです。この計画は、露見すればただちに中止させられますから、学僧たちが秘密裏に上洛し版下（印刷業者）を数人同時に雇って急ピッチで進められたといいます。この書の出版は、弱り切った学林には痛烈すぎる一撃でした。なんと出版からわずか三日間で二百余部を売りあげたのです。本山が力ずくで発禁処分にしたのは、実に六月末になってからでした。その頃にはすでに相当数が出回り、いよいよ学林は強烈な逆風に晒されていきます。

混乱きわまる

さて一般に、三業帰命説をうたう学林の支持者を「新義派」、大瀛や道隠たちの支持者を「古義派」といいます。宗義に対する混乱に対し、本願寺へ近国から続々と双方の支持者が殺到しはじめました。特に古義派の支持者の多い美濃大垣藩は熱心で、数人の僧が学林の混乱の糾明をもとめて本山へ直命書の下附を願い出ました。すると本山は彼らを籠居（謹慎処分）、または宿預け（拘留処分）としてしまったのです。この対応をきっかけとして美濃で数千人規模の暴動が二度までも起こり、その結果、江戸の寺社奉行から本願寺に対し、善処を求めた厳重な警告が出されます。この時の寺社奉行は、名奉行で知られる脇坂淡路守安董でした。*

享和三（一八〇三）年、本願寺は混乱の極致に達しました。煮え切らない状況に対して、とうとう新義派の者たちが本山へ押しかけ、連日暴動を繰り返したのです。中には、槍を振り回し、宗主の側近に自害を迫る者まで現れたといいます。対する古義派も大いに対抗したことで、重大な事件となってしまいました。

やがて京都二条の奉行所から、古義派の春貞や道隠、新義派の智洞や側近たちが次々に招喚され、ついには安芸から病身の大瀛までが呼び出されました。智洞はここで再度、道隠と対決となり、先の春貞との会談における発言を打ち消して撤回するなど、なりふり構わぬ必死の弁明を試みたようです。しかし道隠に、ではこの度の各地での混乱の原因はどこにあるのかと問い詰められると、智洞は沈黙し、ついには涙したといいます。

最終決着へ

京都での審問を経て、一連の暴動事件は江戸の寺社奉行、脇坂淡路守のもとで最終的な審理をすることになりました。文化元（一八〇四）年、年明け早々から、関係者に江戸への招喚命令が届きました。双方ともに江戸へ向かうと、到着した即日に審問が開始されました。

そして二月、病身の大瀛がひと月以上の長旅を経て、ようやく江戸に到着しました。すると脇坂は到着したその日に智洞との対論を命じたのです。智洞の目の前にいる大瀛は、かつての姿から一変していました。痩せこけて、見るからに重篤な状態にありながら、それでも鋭い眼で自分を見据え、理路整然と質問を重ねていく彼の姿は、もはや底知れない、恐ろしいほどの迫力に満ちていました。大瀛の研ぎ澄まされた鋭鋒に智洞は何度も詰まり、圧倒され続けました。あまりの一方的な展開に脇坂が小声で智洞に、回心してはどうかと勧めたほどでした。しかし彼はそれでも固辞し続けたといいます。この時に至ってもなお、智洞を支えていたものは何だったのでしょうか。

一方で奉行所は、この時に初対面となった大瀛と道隠との主張がまったく一致することに驚きました。そこで彼ら二人に、真宗の安心について記すように命じました。二人は共作して広・中・略の三通りに著しました。その略本を残る力でなんとか書き上げた時、大瀛はついに往生したのです。彼は師と交わした護法の約束を、文字通りの「命がけ」で果たし遂げたのでした。彼が亡くなる前に、国許の年老いた母に出した書簡は有名です。

　身の行はあしくとも、心ざまはあしくとも、称名は浮かばずとも、ありがたく思ふ心はおこらずとも、これでは往生いかがとうたがふべからず。この者を助けんとありて、厚く御苦労まします本願よと、安堵の思ひに住して御入候へ。（「かたみの文」抜粋）

（身の行いや、心ぶりが悪かろうとも、お念仏が出なくとも、尊いと思う心がおこらずとも、これでは往生はどうなるのだろうと思ってはなりません。こうした者を救わんとあつくご苦労なされた本願よと、安堵の思いでいてくださいませ）

大瀛はまだ取調べ中の身でしたが、彼の死を深く悼んだ脇坂は、大瀛の審問はすでに終了したと宣言し、寺法に則った葬儀を取りはからってやるように告げたのでした。これは異例のことでした。

そして、審理がすべて終了した結果、本願寺の学林能化・智洞は新義派が起こした一連の暴動の首謀者と認定され、遠島が決定しました。そして本願寺から宗主である本如上人自筆の安心書が到着したことで教義上の判断が固まり、三業帰命説についても、奉行所はついに「不正義」、すなわち「異安心」であると認定し、彼は回心状を提出させられることとなったのでした。この知らせは京都の学林所化（生徒）を驚かせました。彼らはその裁断に対する質疑書をすぐに提出しています。彼らにとって智洞はやはり尊敬すべき師だったからでしょう。

もはや智洞は身も心もぼろぼろでした。異安心の寺の子としてつらい青年時代を過ごした彼は、功存と出遇(であ)い、自分の居場所を与えられ、そこからの活躍は誰もが認める所でした。しかしながら結果として、彼自身もまた「異安心」と認定されたのでした。彼のたどってきた人生や立場を思い合わせる時、その心境は察するに余りあるものがあります。智洞は、刑の執行を待つ牢獄の中で、失意のうちに亡くなりました。齢(よわい)七十。彼もまた命がけで師恩(しおん)に応えた学僧でした。

真宗史に大きな傷跡を残したこの一件の後*、能化制度は解体されたのでした。

■ コラム ■

信心は信楽か欲生か

「至心(ししん)・信楽(しんぎょう)・欲生(よくしょう)」の三心(さんしん)は、如来(にょらい)のおおせを疑いなく受け入れる信楽の一心におさまるというのが、親鸞聖人(しんらんしょうにん)の信心(しんじん)理解の大きな特徴でした（『註釈版』一五六六頁、補註十一）。

一方、功存は蓮如上人の「たすけたまへとたのむ」の言葉を重視しました。蓮如上人は、親鸞聖人がそのように表わした信心を、よりわかりやすいかたちで『御文章』や『改悔文（領解文）』に著し、三業を用いて如来に「たすけてください」と「懇願する」ことで救いが確定する、つまり三心を欲生におさめて教えを示されたと説いたのです。三業帰命説や欲生（願生）帰命説と呼ばれるゆえんです。

しかし実はこの当時と蓮如上人当時とでは、「たのむ」の語義が変遷していました。蓮如上人は「たのむ」はもとより、「たすけたまへ」も願生（欲生）の意味ではなく、信順（信楽）の意味で用いていました。それは、阿弥陀如来が十方衆生の一人一人に対して「南無（まかせよ）阿弥陀仏（われに）」と告げてくださる仰せに対し、それを受け入れ「そうであるならば《おたすけください》」と、衆生の信順（信楽）する心を表現したものだったのです。

『横超直道金剛錍』

「金剛錍（金錍）」とは、衆生を覆う無智の膜を取り払い、心の眼を開かせるための法具のことです。まさに『横超直道金剛錍』の出版によって、多くの者が堰を切ったように古義派へ向かいました。それほど決定的な内容だったので、当時の代表的な学匠である履善が、「天下の夢、暁然として始めて覚む」、すなわち、「三業（欲生）帰命説」の夢が覚めたと評した、とも言われています。

この書では、『願生帰命弁』の主な問題点を「欲生正因」と「三業帰命」の二点に整理しています。この論点整理は、現代の私たちが三業惑乱を理解する上で大きな指針となっています。

寺社奉行・脇坂安董

播磨龍野藩（中心は現在の兵庫県たつの市）藩主であった脇坂安董は、寺社奉行に二度任じられています。二度目の任命の際、まず引き締めるべきは自藩からということで一計を案じ、それまで定めていた藩士への遊興禁止令を解除しました。そして、これ幸いと遊び回った者と、禁止令がなくとも節度を守った者とを見極め、人材登用に活かしたという逸話が伝えられています。

また三業惑乱に際しては、真宗教義の理解を深めるため、大谷派を代表する宗学者である深励（一七四九—一八一七）をたびたび招き聴聞したともいわれています。深励はかつて播磨で修学していたことがあり、その縁があったようです。

『御裁断御書』

三業惑乱の処置として、本願寺は百日間の閉門となりました。それが解除されて二日後の文化三（一八〇六）年十一月六日に、本如上人が鴻の間で披露された消息が、『御裁断御書』（『註釈版』一四一三頁）です。ちなみに大谷派の深励はこの時、ここに座って消息の内容を聞きながら泣いていたと伝わっています。この問題が東西本願寺を超えて、いかに大問題だったことかがわかります。

信楽帰命説が正義、欲生帰命説が異義であることを明示したこの消息によって、長年にわたって続いた三業惑乱の騒動は、ついに教義上の決着がつけられたのでした。

金子大榮

■金子大榮とは

近代の仏教思想界が生みだした巨人・金子大榮（一八八一――一九七六）。彼の残した足跡はあまりにも大きく、浄土真宗を学ぼうとする者なら、今でも一度は名前を耳にすることがあるはずです。

彼は大谷大学に在職して教育・講演活動に奔走しつつも、着実に研究を積み重ね、ついに幼き日から抱き続けたみずからの根本問題に、勇気をもって正面から鋭く切り込みました。

それは「浄土をどう受け止めたらよいのか」という問題でした。科学の発達が著しい時代にあって、誰もが一度は考えたことのあるこの問題に対し、彼の投じた一石はきわめて大きな波紋を生みます。

称賛の声と、漫罵に近い批判の声とが激しく交錯する中、結局、彼は一部の激しい非難の声によって「異安心」の烙印を押され、大谷大学を去ることになります。

そして日本全体が太平洋戦争という巨大な滝口に向かっていく中、ふたたび彼は大谷大学へ戻ることとなりますが、またもや彼は大学を去ることになってしまいます。

「浄土」を追求し、「親鸞教学の公開」という信念に生きた金子大榮の激動の生涯に迫ります。

1　きらめき

静閑と思索

明治十四（一八八一）年、新潟県中頸城郡高田町（現・上越市）にある真宗大谷派の最賢寺に金子大榮は誕生しました。この年は、自由民権運動がいよいよ高まり、制定される国家憲法の取るべき路線をめぐって、伊藤博文が激しく対立した大隈重信を政府から追放するという出来事がありました。日本の伝統という本流に、西欧からあらゆる情報や価値観が強烈な支流となって次々に流れ込み、近代国家・日本としての新しい枠組みをいかに作るのか、日本中が躍起になっていた頃です。それはあたかも後の金子の生涯を象徴するかのようでもありました。

病弱だったこともあるのでしょうか。金子は幼年から並外れて感受性の豊かな子でした。海岸を散歩すれば、大海の波浪が砂上を洗い、一抹の泡を残します。そこに「淋しくも頼りなき人生」とわが身を重ね、強い無常観に襲われました（『永遠と死』）。八、九歳頃には、「地獄極楽なんてあるものか。しかしもしあるとすると、こんなふうに疑っているものは、まず最初に地獄におつるに違いない」(『浄土教縁起』)と思うようになっていました。病弱ゆえいつもそばに「死」はあり続け、寺に「生」を受けたゆえ後生の話はよく耳にしました。

高田の長い冬は、雪がすべての騒音を吸い込みます。こうした静閑な環境で、金子は思索を友にして過ごし、彼独特の繊細な情緒が育まれていったのでした。

明治三十(一八九七)年。十七歳の青年へと成長した金子は高田を離れ、京都の東山今熊野にあった真宗京都中学の四年級に編入します。勉強面も健康面も何かと苦労は多かったのですが、二年後にはそのまま真宗大学予科へと進学しました。

清沢満之の輝き

さて明治三十三(一九〇〇)年、東京。新設される真宗大学の準備のため、清沢満之が京都から移住してきました。彼は、伝統を重んじる高倉学寮の宗学とは違う、近代的で自由な学びを創出する場としての大学が、これからの時代にいかに必要であるかを訴え続けました。しかも彼は本山のある京都ではなく、日本の中心地・東京での新設を主張し、ついにそれを実現させようとしていたのです。*

その彼のもとに、京都の真宗大学を卒業したばかりの佐々木月樵、多田鼎、暁烏敏が押しかけ合流しました。彼らは、もともと二十代の清沢が尋常中学校で教鞭を執っていた頃からの教え子です。大学進学後は、清沢が京都郊外の白川で稲葉昌丸らと雑誌『教界時言』を立ち上げ教団改革運動を行った際も、行動を共にしたのでした。清沢の、肺結核と闘いながら深い教団愛によって改革を続ける行動力と強い意志。東京帝国大学を首席で卒業した明晰な頭脳と西洋哲学をベースにした幅広い学識。そしてなにより親鸞聖人をみずからの生き方そのもので追求する熱い求道心。若い三人に、清沢という存在はまぶしい輝きを放ち続けました。

東京の清沢と彼ら三人の共同生活の場は「浩々洞」と命名されます*。負けず嫌いだが一方的な押しつけも嫌うという清沢を中心に、皆が胡座になって座を囲み、盛んな議論が行われ、いつも大笑いが響いていました。このとき清沢三十八歳。常に痰壺を抱えた彼に、実はもう時間はあまり残されていませんでした。

ところで暁烏敏は京都時代から「専門用語を用いず、広く一般の人に仏教の真意を伝える雑誌を先生と作りたい」という夢を持っていました。そのことを打ち明けたところ、佐々木も多田も賛成、清沢も快諾。浩々洞メンバーの投票により命名されたその雑誌こそ『精神界』でした。この雑誌は、最盛期には毎月三千部を発刊する人気を誇り、そこから発信された清沢の思想は「精神主義」と呼ばれ、仏教界に大きな影響を与えてゆきます。浩々洞を伝説的な存在に押し上げたのもこの雑誌であり、浩々洞は多くの若者で賑わうようになります。

ここで精神主義について少し触れると、清沢は「自己とは何ぞや」と自己の存在解明の重要性を説き、同時にその自己が処世していく立脚地を、外物や他人との関係に求めるのではなく、絶対無限者によって自己の精神内に獲得せよと徹底して教えました。また彼は「宗教とは主観的事実」とも言います。すなわち神・仏や地獄・極楽は科学的に客観的事実として求めるものではない。たとえば冷・暖が客観的に存在せず、主観として直感された時初めて存在するように、人が苦悩の果てに如来を受け入れ信じる時、初めて如来が主観的事実として存在し、真の「現在安住」という自由で広やかな心境が獲得されると説いたのでした。

さて明治三十四（一九〇一）年、いよいよ東京巣鴨に開校した新生真宗大学。初代学監（学長）に任命されたのはもちろん清沢満之でした。彼は開校式で、本学は他校と違う「宗教大学」であり、本願他力の宗義に基づく自己の信念の確立の上、これからの新しい時代の中で他者へ信仰を伝えていく「自信教人信の誠を尽くす人物」を養成することが目的であると高らかに宣言します。

この宣言に胸を躍らせ拝聴した学生のなかに、東京に入学生として移った金子大榮がいました。しかしこれ以降何度かの訓辞を聞いただけで、清沢がすれ違うように遠くへ去ってしまったことが金子の生涯にわたる「遺憾」でした。清沢は明治三十五（一九〇二）年、事情により初代学監の職を辞すると、同年になんと最愛の妻と長男を共に失ってしまいます。そして翌年六月、自身も四十一歳にして生涯を終えたのでした。

清沢が残した強烈な残像と喪失感。悲しみの中、弟子達は、清沢が体現した精神主義の継承を誓います。在学中だった金子も大きな影響を受けますが、中でも生涯、師兄と慕った曽我量深との出遇いは格別の意味を持つことになりました。

清沢がすべてを傾けた大学は、その後宗政によって京都へ移され、「真宗大谷大学」、更に「大谷大学」と改称しました。

故郷での法耕

金子は卒業後、研究院へは進学せず故郷高田へ戻ることを選択します。彼の地元での伝道生活は十年に及びました。彼はよく「正信偈」と「和讃」を講話のテーマに選んだそうです。

彼が発する言葉には、生来の感受性や思索力に清沢から受けた大きな影響が加わり、明らかに従来の布教にはない瑞々しさが備わっていました。評判が評判をよび、彼の法座は若者も多く集め、泊まりがけで聴聞に来る者も現れます。二十六歳の時には結婚し、五人の子にも恵まれています。上越の豪雪地帯の一寺院に、ぬくもりに満ちた空間が現出したのでした。

金子はその間も学問を続け、たびたび『精神界』へ投稿しています。こうした着実な研鑽が、大正四（一九一五）年、『真宗の教義及其歴史』という一冊となって結実しました。出版までに、浩々洞の多田鼎や曽我量深に何度も見てもらい、修正を繰り返したこの一冊は、高い評価を獲得してゆき、金子の存在はより広く知られるようになるのでした。

東京へ、そして京都へ

その大正四年。『精神界』は、長く雑誌を彩った多田鼎・暁烏敏が浩々洞を去ったことで廃刊か否かの岐路に立っていました。しかし「清沢の懐刀」といわれ、清沢と共に大学主幹の職を辞した関根仁応が、ここ数年、健筆を揮い秀逸な投稿を重ねた金子大榮を呼んではどうかと発案します。これにより再び金子は東京へ戻ることになったのでした。

金子は、本人は予算の問題だと言いますが、『精神界』主筆として多くの原稿を執筆しました。その傍ら研究会も立ち上げ、また各地の講演活動も本格化させており、まさに八面六臂の活躍でした。

しかしながら、この生活は一年数ヶ月で終わりを迎えます。なぜなら金子は京都の大谷大学へ専任教授として迎えられることになったからです。

伝統宗学を継ぐ学者から、清沢の精神主義は必ずしも好意的に受け取られていない空気の中、真宗大学の本科を卒業しただけの金子が専任教授として迎えられたというのはかなり異例の人事でした。学生の金子招聘の要望も熱烈だったようで、もはや大学をして金子の強烈な存在感が無視できないところにまで達していたのでしょう。この時の学長は南条文雄。彼はオックスフォード大学で近代仏教学の創設者の一人マックス・ミュラーに師事し、自身も大きな足跡を残した世界基準を知る泰斗でした。また南条の後、学長を受け継いだのが浩々洞出身で、情熱に満ちた人格と巧みな調整力で知られた佐々木月樵でした。彼は「大学樹立の精神」として、仏教学を広く学界に解放すべく、宗派枠を超えた自由な研究活動を奨励し、ひいては国民一般への普及を目的とすると謳いました。この二人により清沢の理念は見事に推し進められていきます。講師陣には精緻な伝統的学問を伝える高名な宗学者の他に、西田幾多郎、鈴木大拙といった偉大な思想家、さらに「仏教学の解放」のキーマンとして金子大榮、曽我量深という新進気鋭の精神主義の継承者たちが名を連ねました。いまや大谷大学は、近代が輩出した思想界の巨人たちが居並ぶ絢爛さで出色の存在となっていました。

金子はここでも研究・授業・講演と存在感を十二分に発揮しました。そして旺盛な研究欲は自身が幼少から一貫して抱えてきた課題「浄土をいかに理解するか」という問題意識へといよいよ収斂されていき、四十五歳となった大正十四（一九二五）年、ついにその成果が『浄土の観念』（前年の日本仏教法話会の講演録）として出版されました。さらに同年『彼岸の世界』、翌年『真宗に於ける如来及浄土の観念』と立て続けに同テーマの書籍が刊行され、その思索を世に問うたのでした。しかし、これによって金子の人生は大きな転換を余儀なくされてしまいます。

昭和二（一九二七）年、『浄土の観念』出版から二年後の侍董寮総会。* 一宗最高の宗意安心決定機関の総会に居並ぶ宗学の権威たち。席上、ある財閥門信徒が金子の『浄土の観念』を取り上げ、金子は大谷大学に属しているが、宗意を破壊する極端な言論で一派の教育に大障害を起こすのではないかと問いました。この発言は伝統宗学を重んじる学者たちと、清沢の理念に生きる大学との間で、かろうじて保たれていた均衡を強く揺さぶるものでした。実は清沢在りし日から当時に至るまで、相承の宗義を重んじる京都・高倉学寮からすれば、東京・真宗大学*の自由すぎる考究は、宗門大学でありながら宗学をゆるがせにするものと映っており、「真宗大学は異安心の母」と揶揄するほど苦々しく思う者までいました。そうした中、門信徒が寄せたこの問いは、学寮の権威たちにとって積年の危惧が現実になっていることを物語るきわめて重大な証言となったのです。

ここからくすぶり始めたこの問題は、翌年四月三日、「中外日報」（宗教専門紙）が紙面で取り上げたことで一気に顕在化します。本山当局、侍董寮および旧高倉学寮系の重鎮達と、自由な考究をうたい仏教学の一般への解放を目指す大谷大学の学者達。出口の見えない対立は事態を、きわめて深刻な方向に向かわせたのでした。

■コラム■

明治時代と、清沢満之の精神主義

清沢満之は文久三（一八六三）年、尾張藩士の家に生まれました。篤信の念仏者であった母の影響や周囲の勧めもあって大谷派の学校で学び、そこから東京帝国大学に入学しました。卒業後、大谷派系の尋常中学校の校長に赴任しますが、明治二十三（一八九〇）年にその職を辞し、徹底した禁欲主義の生活に入ります。それは当時の僧侶達、そして清沢自身の生き方への反省を契機とするものでした。清沢が結核と診断されたのは明治二十七（一八九四）年、三十二歳の時。以後、療養生活や教団改革運動の挫折、妻の実家寺院門徒からの拒絶など、公私にわたる苦悩の中で、清沢の思索はいよいよ深められていきました。

明治時代には、社会と同様に仏教もまた、流入する新たな価値観へと対応していくことになりました。仏教の天文学は科学的にも正統であると主張した佐田介石（一八一八―一八八二）。仏教は西洋哲学に劣らない文明的な思想として通用することを主張した井上円了（一八五八―一九一九）。歴史学的に実在する釈迦の教えだけが仏説であると主張した村上専精（一八五一―一九二九。『季刊せいてん』第一二〇号、四六頁参照）など。

こうした科学的正統性や客観性を重視してきた明治仏教の傾向に批判的立場をとり、自己自身にとって生死の解決となるのかどうか、仏教はこれ以外にはないというところに帰着したのが、清沢の精神主義だったのです。

「浩々洞」という名称

「浩々」とは元々、空間がひろびろした様子、水がみなぎって広がっている様子を表す言葉です。一方、浩々洞の「浩々」の意味は、「物それ自身に対する吾人の心の直接経験なので、謂はば物其れ自身の味ひし総てを忘れ果てた赤裸々の吾人の心に味はるる物其れ自身の味ひを指して謂ふのである」「自己が自然に対してひき起こさるる直感的状態」（吉田久一『人物叢書　清沢満之』一四八頁）と、その同人によって説明されています。たいへん難解ですが、ものごとのありのままを分別なく受け入れるという状態を示しているものと思われます。

侍董寮と高倉学寮

侍董寮は、近代に設置された、宗義に関する大谷派宗主の諮問機関です（本願寺派の勧学寮に相当）。現在はそれに代わって董理院が置かれています。

高倉学寮は、江戸時代に創設された大谷派の教育機関です（本願寺派の学林に相当）。宝暦五（一七五五）年に京都の高倉通魚棚（現・高倉通六条）に移転して以来この名で呼ばれるようになりました。深励（一七四九—一八一七）・宣明（一七四九—一八二一）など大学者を擁し、大谷派の宗学はここを拠点に大いに興隆しました。

大谷大学への歩み

明治新政府の教育制度に応じて、高倉学寮もたびたび改革が行われました。明治二十九（一八九六）年には、伝統の安居による研鑽を中心とする「真宗高倉大学寮」とは別に、明治維新以来の新時代に対応した伝道者育成を目指す「真宗大学」が創設されます。しかしこの時、真宗大学は真宗高倉大学寮の一学部のような存在となってしまい、真宗大学に期待された新時代への即応性は、それほど積極的なものにはなってはいませんでした。

そうした時代の中、清沢満之をはじめ今川覚神・月見覚了・稲葉昌丸・清川円誠・井上豊忠たちの、いわゆる「白川党」が『教界時言』を発刊し、宗門改革の重要性を訴えると、瞬く間に運動の広がりは全国に達します。これにより、宗門と共に、真宗大学も改革を重ねていきます。清沢満之を中心に据えた新体制が構築され、懸案だった校舎の新築地も清沢が強く訴えたことで東京巣鴨と決まり、真宗大学は移転することになります。

その後明治四十四（一九一一）年、「真宗大谷大学」と改称して再び京都に戻ることになり、この時、「高倉大学寮」（四年前に「真宗高倉大学寮」から改称）も合併されています。そして大正十一（一九二二）年に、現在の「大谷大学」へと改称したのです。

2　浄土に問う

『浄土の観念』の波紋

大正十四（一九二五）年に出版された金子大榮の『浄土の観念』（前年の日本仏教法話会における講演録）。すべてはこの一冊から始まりました。少し見ておきます。

この講演録における金子の問題意識は、自然科学による価値観・世界観が定着した時代にあって、「浄土」の教説の意味をいかに確認できるのか、という点に尽きます。彼ははっきりと言っています。浄土の実在について「到底信じられない」と。ただこの発言は彼が後に語ったように、いわば常識的見地からの実体的な浄土を排除するためであり、同時に教法が教える浄土の真の実在性を明らかにするためのものでした。両者を混同し続けることが如来・浄土を無視する現代の傾向を生じさせ、自身も苦悩したと思うが故でした。

金子は教法が示すその実在性を表す言葉として「観念」という語にすべてを託し、

吾々には見えないけれども見えるものの根本となっている世界がある。…中略…私は之を観念界に於て説かれた浄土として置きます。

と述べます。彼はしばしば語られる実在世界としての浄土とは「吾々の狭い心でつくった浄土」であり、実はどこまでも「主観」の投影に過ぎない。そこでいくら自分に都合のいい幸せな世界を描いたとしても、それは必ず不幸を含んだこの世界と本質的に異ならない世界である、と言います。こうしてこの世界から、いかんとも逃れがたい自己を内観して見いだし絶望する時、その全体を照らし出した、「純粋」なる客観的実在世界、「観念の浄土」がそこに立ち現れてくると言い、縷々その浄土観を明らかにしています。

龍谷大学での騒動

金子が講演した前年の大正十二（一九二三）年。一方の龍谷大学では、宗教学教授・野々村直太郎が『浄土教批判』を刊行しています。それは宗教とは何かを問い、従来の三世思想を下敷きに浄土教が説く来世の救済は、現世を重視する近代ヒューマニズムや科学的思考に合わない。阿弥陀如来による浄土建立も一種の神話である。だからそうした要素を除去したとき、宗教的本質として残るのは二種深信である。これによりこの浄土真宗は宗教として成立する、とする大胆なものでした。

立教開宗七百年の年に、宗門大学の教授が刊行したこの本は、きわめて大きな衝撃を与えました。後年には「非神話化」の先駆とする評価も出てきますが、当時は宗義の破壊論として大半から否定的に受け止められ、多くの反論が出ました＊。

興味深いのは、京都基督教青年会が『浄土教批判』検討会を企画するや、龍谷大学・大谷大学・京都女子高等専門学校（現・京都女子大学）といった宗門校の学生、同志社大学・立命館大学のキリスト教学生、真宗学研究所（西本願寺）の研究員、キリスト教教会員などが、会場に押し寄せました。超満員の熱気の中、途中あまりの激論ぶりに桐溪順忍（当時、真宗学研究所研究員）が立ち上がって忠言し、急遽、主催者側が休憩宣言を出すなど異様な盛り上がりを見せたのでした（「中外日報」一九二八年四月二十七日付）。つまりこの問題は、一度はこの時代の宗教界全体が潜らねばならない関門だったのです。このままでは野々村がいうように浄土教、いな宗教そのものが迷信へ堕してしまう、そんな危機感が宗教界を覆っていました。

この騒動で西本願寺は野々村を脱度牒（僧籍剥奪）とし、いきおい龍谷大学へ野々村の免職をも要求してきました。大学側が学問の自由と学内自治への不当干渉だと猛反発する中、野々村は静かに辞表を置き、依願退職により大学を去ったのでした。

伝統的思潮との激突

『浄土の観念』が侍董寮で問題とされた翌年、昭和三（一九二八）年には金子大榮をはじめ、大谷大学への風当たりが強まります*。

　時の学長は稲葉昌丸。* 彼はかつて清沢らと教団改革運動に奔走した人物で、当年四月に就任した新学長でした。稲葉学長は、まず侍董寮へ金子の意図をよく確認して欲しいと会談の場を持つことを願い出ます。彼の骨折りで五月二十六日、侍董寮の住田智見・河野法雲の二講師と金子との会談が実現します。が、両者は二時間ほどで退出してきます。決裂でした。

　侍董寮の二人からすれば、著書の責任を全面に負うと宣言した金子による「実在の浄土は信じられぬ」という発言は、信じがたい浄土否定の表明であり、また彼が哲学的素地から内観を通して語る「観念」というものも、宗祖が「自性唯心に沈みて」と批判された思想と同質のものにしか聞こえませんでした。また金子の論考とは、野々村が浄土や阿弥陀如来を否定した上で宗教としての在り方を論じた方法を批判し、浄土が仏説として説かれた「意味」を探究するものでしたが、野々村と大同小異にしか受け止められなかったようです。

六月一日、東本願寺教学部は、この問題の打開へ向け宗意諮問会にかけることを決定します。この会議は大正四（一九一五）年の制定以来、一度も開かれたことのないものでしたが、擬講以上の有学階者から数名が選ばれ、宗義上、言説が穏当か否かを調査するものでした。ところがこの決定に侍董寮の五講師が激怒し、当局へ肉薄します。実はあの面談の後、時の総長が「宗意安心に関する内容だから、法主（宗主）へ上申する」と語っていたのに、講師より学階*の低い擬講を含む諮問会でいまさら再調査を行うというのは筋が通らないと言うのです。この決定は撤回され、法主への上申を経て、侍董寮への諮詢案件となりました。

さらに本山では常務委員会の予算会議で「会計」が大ナタを振るいます。大谷大学の予算を、前年度踏襲の十八万円余から二万七千円も削減すると伝えてきたのです。紛れもない制裁措置でした。

六月五日。この決定を受け大谷大学は商議員会（幹部会）を開き、稲葉学長以下、幹部十名が辞職を決意します。既に困窮していた予算に対する今回の減額査定を大学への不信任と判断したことと、金子問題への対応方法が理由です。大学における研究成果を「学解」と見ず、根本の「安心」問題として諮るのは、自由研究をうたう大学の死命に関わると見たからでした。ここで金子は同僚へ感謝しつつも、強く責任を感じ、遂に学長へ辞表を提出します。

その頃、宗意諮問会の撤回と大学の予算削減で何とか急場をしのぎ、常務委員会を終えた総長たちは、枳殻邸（東本願寺の別邸。渉成園ともいう）にて慰労会を開催していました。そこへ飛び込んできた大谷大学幹部の総辞職の報。――場は凍りつきました。

これを受け総局は連日、鳩首凝議を続け、結果、予算について「会計」が追加予算を認め、また金子問題と同様のことが起きた時、より客観的な手続きで審議できる機関（後の「宗意審議会」）の新設を約束して歩み寄りを見せました。これにより大学側も再検討の末、総辞職を撤回したのでした。

しかしながら、大学は金子大榮を失いました。苦渋の決断を強いられた稲葉学長は、学生委員を呼び、金子教授の辞職に至るやむを得ざる事情の一切を話し、金子教授にはきっと他日あることを述べながら、無念さに声を詰まらせ、涙を流しました。一方、それまで成り行きを案じていた学生は、金子の辞職を知り愕然とします。すぐに学生大会が開催され、興奮状態の学生が、学の自由を蹂躙する本山当局への不満と、学生に人気の高かった金子を奪われた悲しみを次々に叫んだのでした。この時、学生はストライキ寸前までいきますが、稲葉学長を中心とする大学側と話し合い思いとどまります。それでも一部の学生が集会し、大学側へ建学の精神に基づく大学構築を強く要請する決議を提出しています。

六月十二日、金子は沈黙を破り「中外日報」に手記を載せています。そこでは自らの浄土の思索への思いが述べられ、最後に「この問題を解決するの道は、私としてはさらに精進して、…中略…志を徹底するの外ないと思念せずにはおられませぬ」と語っています。辞職は自説の撤回を意味するものではありませんでした。この後「中外日報」紙上では、前学長・村上専精が金子、及び大谷大学生への苛烈な批難を重ねて寄稿（しかも金子の著書を読まず）し、「中外日報」の論説から「漫罵を避けよ」とかえって批判されたり、浩々洞に属した多田鼎が、金子と研究方法をめぐり紙上で論争を繰り返したりしたため、事件は大きな注目を集めました。しかし心労の金子は、もはや枯れ木のようにやせ衰えてしまったのでした。

揺れる！　大谷大学

金子が大学を去って二年後の昭和五（一九三〇）年。侍董寮にて、今度は曽我量深の『如来表現の範疇としての三心観』という書物が問題視され始めます。これは曽我の唯識理解から、法蔵菩薩の本願の三心を分析し「法蔵菩薩は純真なる宗教体験である」と述べた、かなり独創的な内容でした。実は曽我は金子の辞職の際に、金子へ「早まるな」と書簡を送ったものの、結果的に辞職を黙認したとの深刻な後悔を抱え、この時彼も辞表を提出していました。その時は不受理となったものの、今回の騒動を受け、彼は三月末、再び辞表を提出します。大学側は金子の時に新設された宗意審議会での審議を経ることを望みましたが、当の曽我がそれを全く望まず、本人の強い意志により辞表は受理されたのでした。

さて、曽我辞職の一報は学生に強い衝撃を与えます。学生らは激しく反発し、四月十九日、有志により「吾等は先に金子教授を奪われ天下に恥を売った。吾等はこの度こそ断乎たる決心を以てその恥辱を雪がねばならぬ。吾等は大学樹立の精神に立ち返って……」等と記された檄文が学内に掲示され、翌日の学生大会では、本山の干渉を糾弾し、学園の自治を強く求める声に拍手喝采がおきました。

四月二十六日の学生大会では、曽我教授辞任の経緯が改めて報告されるや学生は激昂し、大谷大学教授として在職し、かつ侍董寮にも属する斎藤唯信・河野法雲を排斥すべきだという決議を行います。学生はただちに両教授へ辞職勧告を突きつけますが、両教授は即座に拒絶。しかし河野教授は帰郷して待機に。斎藤教授は結局、病気を理由に辞職の運びとなります。

五月に入ると、学生は大学の在り方を憂い、検討会や各所への働きかけを連日行ったため、疲労で病人が続出していました。そして先の見えない焦燥感は学生たちを驚くべき行動に駆り立てます。彼らは曽我問題に関する声明・一連の経緯・四箇条の決議を記した「檄文」を、全国の同窓生・保護者へ、約二千箇所に送りつけたのでした。

この一方的な方法に大学は驚き、稲葉学長は本山へ進退伺いを提出することになります。しかし彼は学生は罰しないと言明し、学生側も手続きの不足については大学へ謝罪します。

ところがこれで本山は徹底的な大学改革を決意します。既に逼迫していた大学予算十八万五千円を、一挙に十二万五千円へと激減させ、かわりに人文学・哲学の二学部を廃止し、仏教学部単一の専門学校へ変革させるという改正案が聞こえてきました。すると、これに強く反対した藤岡了淳主事、赤沼智善・𧮪含雄二教授が、学生を扇動したという事実無根の理由をつけられ、帰休（休職）を命じられたのです。加えて本山は今回の一件について学生から悔悟状を取れと稲葉学長へ要求し、教授会は教授上（授業・試験等）のことを議するのみとし、人事の任免権は本山が剝奪すると伝えてきました。そして、その中であろうことか、大学が何よりも大切にしてきた故佐々木月樵元学長の「本学樹立の精神」を、一管理者が在職中に語った一見解に過ぎないとまで語ったのです。

――これで、大谷大学の教員・職員の心は完全に折れてしまいました。緊急の教授会において全教員が辞職を決意、全職員も道を同じくすると続き、総勢百数名が辞職を決しました。議事が終わり、改めて稲葉学長が愛着ある学園への思いを切々と語ると、そこにいた全員が感極まり、涙を流しました。

これを受けて開催された学生大会で、学生も総退学を決意。続々と退学届を持ってくる中、稲葉学長が残った学生を大講堂へ招集し、最後の説得を試みるも学生の意志は固く……。学長が退堂すると、残った学生のうち、誰かがふと寮歌を口ずさみました。するとそれに皆が続き、やがてその声は絶叫へと変わってゆきました。寮歌が終わると、学生たちは次々と講堂西側のカーテン上にある故佐々木元学長の肖像へ深々と頭を下げました。やがてすすり泣く声が響き始め、全員が泣き崩れました。総計八百数十名に及ぶ退学届の山を残し、学生は大学を去りました。こうして大谷大学の時計の針は止まってしまったのでした。

■コラム■

「非神話化」と『浄土教批判』

「非神話化（ひしんわか）」は、ドイツのプロテスタント神学者ブルトマンによって一九四一年に提唱されました。新約聖書に説かれているのは神話的世界であり、科学的思考をする現代人には受け入れがたくなっている。その神話的表現を「解釈」することによって、神話が伝えようとしていた聖書本来の真理を明らかにする、というもので、これをめぐり世界中の神学者の間で活発な議論が続けられました。

野々村直太郎の『浄土教批判』（一九二三年）は、はからずもブルトマンに先がけた非神話化の問題提起となっていたとする評価もあります。その是非はともかく、検討会に詰めかけた宗教関係の青年達の問題意識は、後年に非神話化として具体化したものと同根のものであったことは確かでしょう。

「教権」と自由研究

「教権」とは、教えの絶対的な権威、あるいは宗門の権威を意味する言葉です。野々村事件に際して、本山は龍谷大学を教権の枠内にあるとみなし、研究内容に教権をもって干渉、野々村罷免の圧力をかけました。一方、梅原真隆ら当時の龍谷大学教授団は、大学は国の大学令によって設置されているのであるから教権に支配されるべきではない、研究の自由こそは大学の生命であり、教権そのものも自由研究の対象となることによって、むしろその真実性が確立されるとの立場を示し、野々村への罷免圧力を批判しました。

後の大谷大学における金子大榮・曽我量深の問題も同じ構図であったといえます。教権と自由研究の軋轢は、初期の宗門大学に共通の課題でもあったわけです。

稲葉昌丸

稲葉昌丸は慶応元(一八六五)年、大阪の大谷派寺院に生まれます。本山の指示により清沢満之らとともに東京に留学し、東京帝国大学を卒業しました。清沢の初めての著作『宗教哲学骸骨』の出版に尽力したり、「白川党」の一員として共に教団改革運動に取り組んだりするなど、清沢とは親友の間柄でした。

稲葉は晩年に蓮如上人の研究で、ことに重要な業績を上げています。上人の言行録などを集成した『蓮如上人行実』や、帖内・帖外の『御文章』をはじめとする著述を集成した『蓮如上人遺文』は、蓮如研究における必須資料として多くの僧侶・学生・研究者に長く親しまれてきました。これらの書籍で稲葉を知ったという人も少なくないはずです。

学　階

学階とは僧侶の学識をあらわす階位のことで、そのはじまりは平安時代にまでさかのぼります。現在は各宗派それぞれに学階があり、それぞれ呼称も異なっています。

浄土真宗では宗学の盛んになった江戸時代から各派に学階の元となる制度が設けられました。現在は、階位が高い順に、本願寺派（西本願寺）は勧学・司教・輔教・助教・得業、大谷派（東本願寺）は講師・嗣講・擬講・学師となっています。

なお本願寺派においては、はじめ能化職が置かれるも、三業惑乱によって廃止となり、代わって勧学職が置かれ、現在の学階へとつながってゆきます。この経緯については本書「智洞」篇を参照してください。

3　人生の意味

非僧非俗の歩み

異安心問題の渦中にあって「志を徹底するの外ない」と宣言した金子は、大谷大学を辞した翌昭和四（一九二九）年には、僧籍も返上しました。「浄土」の開顕を核として、いかに宗祖親鸞の思想に宿る潑剌とした宗教的生命を現代に「公開」していくのか。その志を貫徹するため、一切のしがらみから離れんとする決意の行動だったのでしょう。それはあたかも親鸞聖人が、不当な弾圧によって還俗を命じられ僧籍を剝奪（非僧）されても、なお自己を「非俗」と位置づけ、堂々と本願の仏道を邁進し続けた姿のようでありました。

一方、全教職員が辞職、全学生が退学という「日本に大学令布かれて以来」（「中外日報」一九三〇年六月十四日付）の、まさに空前絶後の深刻な事態に陥ってしまった*大谷大学。回復を願って本山当局との折衝を続けますが、本山側は強硬に伝統宗学への回帰路線へ舵を切って改革を断行し続けたため、両者の関係はごたつき続けます。ところが翌年八月、一連の改革の旗振り役であった本山の教学部長が亡くなります。すると事態は転換しはじめ、第六代学長に上杉文秀が任命されると両者は歩み寄り、四年にわたった混乱もようやく鎮静化の兆しが見え始めたのでした。

広島での日々

昭和五（一九三〇）年。三月に師兄曽我が大学を辞した、その四月に金子は広島文理科大学（現・広島大学）に専任講師として迎えられます。彼を招聘したのは文理科大の初代学長・吉田賢龍でした。吉田は大谷派の僧侶で浩々洞とも関係が深く、かつて大谷大学で学生時代の金子を指導しています。吉田が、金子の輝きをよく知るが故にその置かれた境遇を強く惜んで発した人事でした。金子が在籍したのは西洋哲学をあつかう哲学科哲学史教室。仏教学者の受け入れ先としては異例の人事でしたが、それを可能にしたのは金子の蓄積してきた業績が、広く一般学界でも評価を得るに充分なものだったからでした。当時の金子は「仏教哲学者」と評されることもしばしばでした。吉田学長の厚意により金子の講義は隔週で行われ、金子の京都―広島の往復生活が始まったのでした。時に金子大榮、五十歳。

そして、その年の九月。京都では、曽我・金子を心から敬愛し、一連の騒動の際に学生運動の中心にいた訓覇信雄ら学生たちの強い願いで、学塾「興法学園」が創設されます。*それは清沢満之以来灯し続けた精神の火を、曽我・金子の指導を通し、共同生活しながら受け継ごうとするもので、洛東鹿ヶ谷に一軒家を借り、安田亀治（理深）・北原繁麿・松原祐善・山崎俊英らが常住して始まりました。二人の講義や輪読会、さらには演習まで行われて大いに賑わい、まるで大学の一講座がそこに移ったようでした。その評判に宗派を超えて人が集まり、中には、熱心な念仏者として知られた高名な教育学者・西元宗助もいました。

この頃の金子は、こうした京都・広島双方での精力的な活動に加え、全国で講演活動がいっそう盛んになり、更には、雑誌『仏座』にて毎月『教行信証』に関する思索を着実に蓄積し続ける生活でした。あまりの多忙ぶりを見かねたのでしょう。吉田学長が着任四年目の昭和八（一九三三）年に広島移住を勧めます。家族と共に金子が移住したことで興法学園は一区切りとなりました。移住後の金子は自宅で、学生との仏典講読会「分灯会」を立ち上げ、また仏教に関心のある大学の教官たちとは『華厳経』の心を伝える「直枉会」を立ち上げたのでした。

思えば金子の周りにはいつも人が集まり、彼の説く言葉に目を輝かせ耳を傾けています。こうした金子の凄まじい生活は「親鸞教学の公開」に生きると決めた彼の固い決意が支えたものにほかなりませんが、彼が教えの「意味」を丁寧に思索して語る言葉は、聞く者をして、単なる「知識」であった教学に、初めてあたたかな血が通ったように感じさせ、これぞ我が歩むべき「仏道」として認識させていきました。金子は、多忙ぶりが極まるにつれ、自分の進んでいる方向の確かさを確信したに違いありません。

戦争という豪瀑

鎖国の扉をこじ開けられた日本は、明治以降、西欧のあらゆる情報が支流となって強烈に注ぎ込む中、うねりながらも急速な発展を遂げ、近代国家・日本という大河を形成してきました。しかしその流れもやがて軍国主義に染まってゆき、昭和六（一九三一）年の満州事変の後は、太平洋戦争という豪瀑（巨大な滝）の落ち口へ一気に加速していったのでした。

皮肉にもこうした危機的情勢が、再び金子の人生を京都へと近づけていきます。昭和十五（一九四〇）年、十一年ぶりに金子が僧籍に復する事が決定します。この実現には複雑な事情があったそうですが、『浄土の観念』『真宗に於ける如来及浄土の観念』を絶版にし、公的布教は当分見合わせるという条件付きでの復籍となりました。確かにこの二著は現在に至るまで再版されていません。

そして翌昭和十六（一九四一）年。広島の金子へ東本願寺から連絡がきます。それはいよいよ全国的な戦時体制に入りつつあったこの頃、「時代」に相応した教学（いわゆる戦時教学）の確立を急いだ教団が、その学識と発想力に期待して、かつて伝統教学に対立する異分子として排除した「金子大榮」に白羽の矢を立てたのです。東本願寺宮御殿で開催された非公式の研究会。斎藤唯信・河野法雲といった面々に、暁烏敏・曽我・金子などかつて対立構図にみなされた面々が一同に招集され、本地垂迹思想や真俗二諦などについて意見交換がなされています。*ここから曽我・金子の存在感は宗門内において高まり、なんと曽我は同年七月に侍董寮出仕を命じられ講師に、金子も、二年後に侍董寮出仕、三年後にはついに講師を拝命しています。かつて二人を「異安心」として追い立てた機関の、この大胆な人事は、伝統宗学によっていた体制の大きな転換として、驚きをもって受け止められました。そして、この昭和十六（一九四一）年に大谷大学第十一代学長へ就任した関根仁応は、この流れをみてすぐに文部省に申請し、二人を教授として復職させます。関根はかつて新潟在住の若き金子を、『精神界』の主筆に指名して東京に呼び戻した人物です。そして、この年の十二月八日。ハワイの真珠湾攻撃。ついに太平洋戦争が始まりました。

金子が大学に復帰した昭和十七（一九四二）年。開戦以来、東南アジアから南太平洋にかけてアメリカやイギリスの艦隊を撃破し、破竹の勢いで連勝を続ける日本。国中が沸き立ち、ラジオからは流行歌と共に軍歌が盛んに流れ、日本中を鼓舞していました。ところがこの時、金子はそうした喧噪から切り離された、静寂な哀傷の時を過ごしていました。それはこの年の九月に二十七歳の次女が、年末には三十歳の次男が立て続けに亡くなったからです。先立つこと五年前には妻と妹を、三年前には母を亡くしていた彼にとって悲痛極まる、筆舌に尽くせない辛い時間が流れていたのでした。彼は「なれ（汝）をのみ　仏とせずにやむべしや遺骨よ泣くな　父ここにあり」（『自然』）と涙ながらにうたっています。

ところで日本の戦局は、ハワイ西方のミッドウェー海戦で痛恨の大敗北を喫すると、徐々に形勢が逆転し始めました。戦局の差し迫った昭和十八（一九四三）年。ついに学徒出陣がはじまり大谷大学でも壮行会が開かれ、共に時間を過ごした若き学生たちが笑顔を奥にしまい込み、戦地へと向かっていきました。金子は、この年に大学内に設立された大谷教学研究所の日本教学部部長をつとめ、聖徳太子研究を基軸に皇国思想と一体化した思想を明らかにし、満州の建国大学へも講義へ出向き、さまざまに鬱屈した思いを抱えながら東奔西走する日々でした。

しかしながら、昭和二十（一九四五）年。三月には「東京大空襲」と呼ばれた惨劇をはじめとする日本各地への空襲、四月には沖縄戦。劣勢は誰の目にも明らかでした。そんな中、金子はなんとか気持ちをつくり、初めての安居をつとめています。しかしその安居が終わって間もない真夏の八月。ついに広島・長崎への原爆投下。そして八月十五日の正午。炎天下の蝉しぐれのなか、ラジオから聴こえた玉音放送。日本の戦争は終わりました。

長い旅の終わり

昭和二十一（一九四六）年二月二十二日、六十五歳となった金子は、身心共に傷つきながら、何とか大学に戻ってきた大学講堂を埋め尽くした学生たちに「真宗 聖教をもって、自身の身に救国の愛情を自覚することのみが敗戦から建設への大道である」と力強く説き、大きな感銘を与えます。その翌年、金子は一年半以上の沈黙を破って『宗教的覚醒』を著し世に問いました。この書には「敗戦とともに一切の事態は明瞭となった。我等は無知であり徒労せるのである。国家に対し道徳であると思うていたことが、いたずらに世界を混乱せしことに終わったのみならず、結局国家をも禍することになったのである」と述べています。この書で金子は「戦後」になった途端ひっくり返った価値観に戸惑いつつ戦死者の意味を問い、深い慚愧と懺悔を吐露しつつ、真実なる宗教への覚醒を懇々と説いていています。ここから金子の旺盛な活動がまた再開するのですが……。この時期、GHQ（連合国軍最高司令官総司令部）の指導の下、民主化政策の一環としてあらゆる大学で教職員に対する適格審査委員会が設置されました。これはつまり教育機関に戦争責任の追及と清算を強く求めるものでした。昭和二十四（一九四九）年、金子はこの審査で「不適格」と判定されます。なんと金子は再び大学を去ることになってしまったのでした。

　この二年後、ようやく金子に対する処分が解かれ、名誉教授として大学へ戻ってきた時、彼はすでに七十一歳になっていました。そこから、金子は九十六歳に至るまでの生涯を「親鸞教学の公開」に費やしました。それは六歳年長で九十七歳の長命を得た師兄・曽我量深とともに歩んだ長い道でもありました。八十一歳の時には大谷派から教学功労者として表彰され、翌々年には「聞思院」という院号を生前授与されています。

　ところで金子は、生涯の課題となった浄土について、かつて問題視された自説を基本的な部分で曲げることはありませんでした。しかし老境に至った時、彼は「浄土」を「生死の帰依所（死の帰する所を生の依り所とする）」（『浄土の諸問題』）と平易に表現し始めます。それは「われらの本来の世界」として、浄土を「懐かしい魂の郷里」として頂戴する時、この此岸は「他郷」であったと知らされ、さまざまに経験した苦楽の人生も、思い出多き「旅路」となる。浄土は彼岸にあればこそ、いつも此岸の現実を支える世界として内観される世界だという意味を込めたものでした。またこの頃になると、「浄土」について「念仏者は実体的な浄土があると思うていても、敢えてそれを妄想として除かねばならぬ必要はありません。往生というも浄土というも凡情のままでよいのであります。それが往生の真義でなく浄土の実相でないならば、念仏のこころがおのずからそれを感知せしめるでありましょう」（『浄土の諸問題』）と、実に豊かな包容力をもって説くようにもなっていました。

　そして金子は自身の激動の生涯を振り返って次のように語っています。「私は郷里を離れ、そして大谷大学の教壇に立ったり、広島へ行ったりしなければ本当に救われなかったでありましょう。自分の持っている根本問題は決して解決がつかなかったでしょう。だから自分の一生は、自分に道をつけしめる一生であったということにおいて決して後悔もしませんし、なにもそこに疑いをもたんのであります」（『教化の徳――曽我量深先生追悼講演』）、「念仏者の人生には無駄がないということではないか。悲しみに泣いた日もあった。けれどもそれは往生浄土の人生において無駄なことではなかった」（『聞思室日記続続篇』）。

　金子は念仏の中に、時代の荒波にもまれ続けた自身の生涯を回顧し、点検して、はっきりと「無駄はない」と言い切っています。こうして彼は長い「親鸞教学の公開」の旅を終えたのでした。

■コラム■

龍谷大学の盟休事件

龍谷大学でも、金子大榮・曽我量深の辞職をめぐる大谷大学の混乱とほぼ時を同じくして、ある騒動が起きていました。第二代学長前田慧雲の引退に際し、後任の人事が宗門による「天降り」であると見た学生が、授業のボイコット（盟休）や学生集会による抗議活動を行ったのです。野々村事件以来龍谷大学を覆っていた、宗門の「教権」に対する反発の再燃でした。抗議活動は二ヶ月にわたり、最後は学生側が説得に応じる形で終息しました。しかし、一連の事態で宗門が見せた強硬な姿勢への抗議として、梅原真隆ら教授・講師計十三名が辞職することとなったのです。辞職した梅原は京都市内に私塾顕真学苑を設立し、そこで自由な真宗学研究を追究していきました。

興法学園に集った人々

安田理深（一九〇〇―一九八二）は青年期にキリスト教や禅などを経験した後、金子の著作に出遇い大谷大学に入学したという経歴を持ちます。興法学園が終了した後は、私塾相応学舎を設立し、思索と著述、そして後進指導の日々を送りました。

松原祐善（一九〇六―一九九一）は昭和四十九（一九七四）年、学園闘争の余波がいまだ残る中、第二十代大谷大学学長に就任しました。分野の細分化や、研究と教育の分離といった、学問研究における課題の克服をめざし、後の真宗総合研究所設立に向けての基礎事業を推進しました。

訓覇信雄（一九〇六―一九九八）は戦後に大谷派宗務総長を務め、教団改革運動を推進。いわゆる「お東紛争」の、宗派側の中心的な当事者でもありました。

宮御殿での議論と戦時教学

国策への追従という方向性が前提にあったとはいえ、招集された学者たちの意見は、単に右へ倣えで一致していたわけではありませんでした。

そのような中で暁烏敏は、天照大神が根本であるのだから、仏を本とする本地垂迹などはありえないと主張し、神道を「空虚」と評した河野法雲に詰め寄るなど激しい態度を示し、会議の主導権を握ったようです。

そして金子も、暁烏の主張に賛同して、「浄土の念仏」と「神の国への奉仕」の一致を涙ながらに説き、「戦争に勝たねばならぬ」と訴えていったのでした。

また一方で西本願寺では、昭和十四（一九三九）年、勧学の職にあった梅原真隆が『興亜精神と仏教』（本願寺教務部）を著し、「聖戦」の意義を繰り返し説いています。

> いふまでもなく、日本の戦争は、それが天皇陛下の御名によつて進めらるゝのであるから正しい。すなはち聖なる戦である。（三頁）
>
> 人類の歴史に於いて、肯定せられたる戦争、または肯定せらるべき戦争があつたかというと、遺憾ながら極めて少ない。さうした意味から、今日われらの為してゐる戦争は、実に人類の戦争史に於ける一大展開をなせるものである。即ち、戦いの聖化である。（六頁）

当時、盧溝橋事件から丸四年が経過し、日中戦争は、こうして宗教界をも巻き込んで、出口の見えない泥沼に陥っていたのでした。（参考、中島岳志『親鸞と日本主義』）

参考資料

『大谷大学百年史』（大谷大学、二〇〇一）
『本願寺史』（本願寺出版社、一九六八）
『増補改訂　本願寺史』全三巻（本願寺出版社）
『真宗重宝聚英』第五巻「親鸞聖人伝絵」（同朋舎メディアプラン、二〇〇六）
「中外日報」（中外日報社）
『真宗全書』（蔵経書院、一九一三）
『真宗史料集成』（同朋舎）
『浄土真宗聖典全書』（本願寺出版社）
『浄土真宗聖典　註釈版』第二版（本願寺出版社）
『浄土真宗聖典　七祖篇註釈版』（本願寺出版社）
『浄土宗全書』（大東出版）
『龍谷大学三百年史』（龍谷大学、一九三九）
『龍谷大学三五〇年史』通史篇（龍谷大学、二〇〇〇）
『国史大辞典』（吉川弘文館）

『新纂浄土宗大辞典』（浄土宗出版）
『真宗新辞典』（法藏館）
『真宗大辞典』（真宗大辞典刊行会）
『世界大百科事典』（平凡社）
『日本史』（中央公論社）
『日本大百科全書』第二版（小学館）
『日本歴史地名大系』（平凡社）
『望月仏教大辞典』（世界聖典観光協会）
『大日本仏教全書』（仏書刊行会）

参考文献

赤松俊秀『親鸞』（吉川弘文館、一九六一）
井川定慶編『法然上人伝全集』（法然上人伝全集刊行会、一九七八）
石田瑞麿『親鸞とその妻の手紙』（春秋社、一九六八）
井上哲雄『学僧逸伝』（永田文昌堂、一九七九）

井上鋭夫『一向一揆の研究』（吉川弘文館、一九六八）
井上鋭夫『本願寺』（講談社、二〇〇八）
今井雅晴『親鸞聖人とともに歩んだ恵信尼さま』（自照社出版、二〇一六）
今井雅晴『親鸞聖人と山伏弁円と板敷山』（自照社出版、二〇一七）
今井雅晴『親鸞の家族と門弟』（法藏館、二〇〇二）
今井雅晴『恵信尼消息に学ぶ』（東本願寺出版、二〇〇七）
今井雅晴監修『親鸞の風景』（茨城新聞社、二〇〇九）
上場顕雄『教如上人――その生涯と事績』（東本願寺出版、二〇一二）
大桑　斉『教如――東本願寺への道』（法藏館、二〇一三）
岡村喜史『日本史のなかの親鸞聖人――歴史と信仰のはざまで』（本願寺出版社、二〇一八）
梯　實圓『親鸞聖人の生涯』（法藏館、二〇一六）
梯　實圓『聖典セミナー　口伝鈔』（本願寺出版社、二〇一〇）
梯　實圓『光をかかげて――蓮如上人とその教え』（本願寺出版社、一九九六）
梯　實圓『蓮如――その生涯の軌跡』（百華苑、二〇〇二）
金子大榮『金子大榮講話集』（法藏館、二〇一六）
金子大榮『金子大栄随想集』（雄渾社、一九七三）

金子大榮『浄土の観念』（文栄堂、一九二五）
神田千里『戦国と宗教』（岩波書店、二〇一六）
金龍静・木越祐馨編『顕如――信長も恐れた「本願寺」宗主の実像』（宮帯出版社、二〇一六）
小松茂美『法然上人絵伝（続日本の絵巻）』（上・中・下）（中央公論社、一九九〇）
小山聡子『浄土真宗とは何か――親鸞の教えとその系譜』（中央公論新社、二〇一七）
重松明久『覚如』（吉川弘文館、一九八七）
重見一行『教行信証の研究――その成立過程の文献学的考察』（法藏館、一九八一）
浄土宗総合研究所編『法然上人行状絵図　現代語訳』（浄土宗出版室、二〇一三）
浄土真宗本願寺派総合研究所編『季刊せいてん』第一二〇号（本願寺出版社、二〇一七）
浄土真宗本願寺派総合研究所編『親鸞聖人御消息　恵信尼消息（現代語版）』（本願寺出版社）
平　雅行『歴史のなかに見る親鸞』（法藏館、二〇一一）
高橋　修『熊谷直実――中世武士の生き方』（吉川弘文館、二〇一四）
谷口克広『信長と将軍義昭――連帯から追放、包囲網へ』（中央公論新社、二〇一四）
千葉乗隆『顕如上人ものがたり』（本願寺出版社、一九九一）
千葉乗隆『親鸞聖人ものがたり』（本願寺出版社、二〇〇〇）
千葉乗隆『恵信尼さまの手紙』（探究社、二〇一〇）

内藤知康『御文章を聞く』（本願寺出版社、一九九八）
中島岳志『親鸞と日本主義』（新潮社、二〇一七）
仁木　宏『空間・公・共同体――中世都市から近世都市へ』（青木書店、一九九七）
野々村直太郎『浄土教批判』（中外出版、一九二三）
幡谷　明『大悲の妙用――曽我・金子・山口先生の鴻恩を憶う』（自照社出版、二〇一六）
坂東性純・伊東慧明・幡谷明・龍溪章雄『浄土仏教の思想』第十五巻「鈴木大拙・曽我量深・金子大栄」（講談社、一九九三）
平松令三『親鸞』（吉川弘文館、一九九八）
松田毅一・川崎桃太訳『完訳フロイス日本史』Ⅰ～Ⅳ（中公文庫、二〇一六）
松野純孝『親鸞の妻　恵信――十通の手紙』（上越：ゑしんの里観光公社、二〇〇七）
松野純孝編『仏教行事とその思想』（大蔵出版、一九七六）
松村茂平『鉄の城　本願寺顕如』（叢文社、一九八九）
村上速水『親鸞教義の研究』（永田文昌堂、一九六八）
森　竜吉『本願寺――親鸞・蓮如から近代まで』（三一書房、一九五九）
森　竜吉『蓮如』（講談社現代新書、一九七九）
山科本願寺・寺内町研究会編『戦国の寺・城・まち――山科本願寺と寺内町』（法藏館、一九九八）

吉田久一『人物叢書　清沢満之』（吉川弘文館、一九八六）
脇本平也・河波昌『浄土仏教の思想』第一四巻「清沢満之・山崎弁栄」（講談社、一九九二）
鷲尾教道『恵信尼文書の研究』（中外出版、一九二三）

参考論文・記事

安藤　弥「戦国期宗教勢力論」（『室町戦国期研究を読みなおす』所収、思文閣出版、二〇〇七）
安藤　弥「戦国期本願寺「報恩講」をめぐって――「門跡成」前後の「教団」」（『真宗研究』第四六号、二〇〇二）
安藤　弥「本願寺門跡成ノート」（『仏教史研究』第四三号、二〇〇七）
一楽　真「関東の親鸞――三部経千部読誦の中止を通して」（『親鸞教学』第九六号、二〇一一）
今井雅晴「唯善と初期浄土真宗」（『年報日本史叢』、二〇〇〇）
上場顕雄「本願寺東西分派史論――黒幕の存在」（『真宗教団の構造と地域社会』所収、清文堂出版、二〇〇五）
岡村喜史「伝絵に画かれた親鸞聖人（4）弁円済度の段」（『季刊せいてん』第九九号、本願寺出版社、二〇一二）

岡村喜史監修『絵物語　親鸞聖人御絵伝――絵で見るご生涯とご事蹟』（本願寺出版社、二〇一五）
梯　實圓「衆生利益ということ――真宗における伝道の原点」（『浄土教学の諸問題』下巻、一九九八）
高下　恵『親鸞聖人御旧跡巡拝誌――関東篇』（百華苑、一九八二）
高丸千佳「蓮崇と蓮如」（『竜谷史壇』第一三七号、二〇一三）
龍溪章雄「金子大栄著『浄土の観念』の一考察」（『印度学仏教学研究』第三二号―一、一九八三）
千葉乗隆「慕帰絵詞とその作者」（『千葉乗隆著作集』第一巻「親鸞・覚如・蓮如」所収、法藏館、二〇〇一）
能美潤史『「タスケタマヘ」の総合的研究』（博士論文《龍谷大学》、二〇一三）
平松令三「親鸞の三部経千部読誦と専修寺の千部会」（『真宗史論攷』、一九八八）
山田雅教「はじめて学ぶ親鸞聖人のご生涯　第九章　関東での活動」（『季刊せいてん』第七八号、本願寺出版社、二〇〇七）
山本攝叡「恵信尼文書再読」（『行信学報』通巻第一一号《復刊第六号》、一九九七）
山本攝叡「恵信尼文書の宗教思想――〈まはさてあらん〉の解釈をめぐって」（『行信学報』第一八号、二〇〇五）

井上見淳（いのうえ けんじゅん）

1976年、福岡県生まれ。龍谷大学准教授。中央仏教学院講師。浄土真宗本願寺派正恩寺衆徒。
主な著書に、『日々の暮らしと歎異抄』（単著、本願寺出版社、2021）、『いつでも歎異抄』（編著、本願寺出版社、2021）、『〈勧学寮篇〉親鸞聖人の教え』（共著、永田文昌堂、2017）、『親鸞教義の諸問題』（共著、永田文昌堂、2017）他。主な論文に「〈領解文〉広布の経緯に関する研究——能化・功存と堂達衆・玄智」（『真宗学』第143・144合併号）、「小児往生論の研究（下）論争の整理と意義について」（同第141・142合併号）他。

真宗悪人伝

二〇二一年一〇月二〇日　初版第一刷発行
二〇二四年一一月二九日　初版第三刷発行

著　者　井上見淳
発行者　西村明高
発行所　株式会社　法藏館
　京都市下京区正面通烏丸東入
　郵便番号　六〇〇-八一五三
　電話　〇七五-三四三-〇〇三〇（編集）
　　　　〇七五-三四三-五六五六（営業）

装幀・イラスト　野田和浩
印刷　立生株式会社　製本　吉田三誠堂製本所

ISBN 978-4-8318-8790-0 C0015